LES ENFANTS DE TIMPELBACH

HENRY WINTERFELD

LES ENFANTS DE TIMPELBACH

Traduit de l'allemand
par Olivier Séchan

L'édition originale de ce roman
a paru aux éditions Lothar Blanvalet
sous le titre :
TIMPETILL

1

Le feu aux poudres

Joseph ne comprenait pas la plaisanterie, et c'est de là qu'est venue toute l'histoire. Joseph, c'est le gros chat noir du boulanger Bollner dont la boutique, toute proche de la librairie de mon père, se trouve sur la place centrale de notre petite ville tyrolienne de Timpelbach. En passant par les toits, ce bon Joseph venait souvent me rendre visite dans ma chambre, et il aurait pu mener une existence fort paisible s'il n'avait par malchance trouvé un tourmenteur en la personne d'un certain Willy Hak, un de mes camarades de classe. À maintes reprises déjà, je m'étais querellé à son sujet avec Willy, et lui avais ordonné de laisser cette pauvre bête tranquille. Mais j'aurais sans doute mieux fait de m'abstenir, car Willy, qui ne m'aimait guère, ne tenait aucun compte de mes remontrances. Je suis même persuadé qu'il avait principalement l'intention de me faire enrager lorsqu'il joua à Joseph le vilain tour qui devait déclencher toute l'affaire.

Willy était un affreux garnement de douze à treize ans, redouté de tout le voisinage, et qui, à l'époque, faisait naturellement partie des « Pirates ». On appelait ainsi une bande de chenapans dont les farces, les mauvaises plaisanteries et les divers méfaits provoquaient jour après jour la stupeur et la colère de la population. Les parents, qui ne soupçonnaient pas l'existence de cette association secrète, s'indignaient de l'audace de leurs rejetons et faisaient pleuvoir les punitions sur nous tous, indistinctement. Pourtant, mes amis et moi, nous n'avions aucun rapport avec les Pirates. Certes, nous ne prétendions pas être nous-mêmes de petits anges, mais il nous était impossible d'approuver certains de leurs exploits qui n'enthousiasmaient que les imbéciles.

Leur chef était un certain Oscar Stettner, le fils d'un boucher de la rue des Moines. C'était un gaillard de quatorze ans, terriblement fort pour son âge, et que l'on avait surnommé « Oscar le Rouge », car il aidait parfois son père à l'abattoir. Pendant un certain temps, le père Stettner avait essayé de venir à bout de son fils en lui administrant, à la moindre incartade, d'effrayantes corrections. Mais Oscar avait la peau si dure que son père renonça rapidement à ses tentatives d'éducation. Dès lors, le garnement triompha, tandis que l'audace de ses Pirates ne connaissait plus de bornes.

Ils eurent un jour l'idée de dévisser subrepticement la bouche d'incendie sur la place du Marché-aux-Chèvres, provoquant ainsi une véritable inondation. Les paysannes venues au marché prirent un bain de pieds ; leurs paniers de légumes furent emportés par les eaux ; des poules et des lapins périrent noyés dans leurs cages. Des clients de la brasserie de l'Hôtel-de-Ville, située en contrebas, virent soudain une trombe d'eau dévaler les escaliers et durent abandonner précipitamment leurs chopes de bière.

Cette fois encore on ne parvint pas à découvrir les coupables, car les Pirates calculaient si habilement leurs coups que les soupçons retombaient sur tous. Le lendemain, le directeur de l'école, M. Beese, nous réunissait tous, garçons et filles, sous le préau, et nous adressait un discours menaçant.

« Petits misérables ! nous cria-t-il, vous devriez avoir honte ! Mais puisque vous persistez dans votre attitude, je vous préviens que nous allons prendre des mesures extrêmement sévères à votre égard. À partir d'aujourd'hui, vous ferez chaque soir une heure de retenue si vous ne dénoncez pas immédiatement l'organisateur de ces actes de vandalisme qui ne sont ni drôles ni spirituels. Et nous n'en resterons pas là ! Prenez garde ! »

D'habitude, même lorsqu'il crie très fort, M. Beese ne nous impressionne pas beaucoup. C'est en effet un tout petit homme qui, pour un rien, entre en fureur et brandit ses poings au-dessus de sa tête. Avec ses yeux furieux, ses gros sourcils et la longue barbe qui lui tombe jusqu'au milieu de la poitrine, il fait irrésistiblement songer à l'un des nains de Blanche-Neige. De là son surnom de « Grincheux ».

Mais, ce jour-là, nous n'avions pas envie de rire en écoutant le discours qu'il nous fit au sujet de l'inondation du marché aux Chèvres. Discours bien inutile d'ailleurs. Car si nous savions tous fort bien que cette inondation était l'œuvre des Pirates, et principalement d'Oscar, aucun de nous n'osa ou ne voulut dénoncer la bande.

Pour ma part, je considère qu'on ne doit jamais moucharder. C'est également l'avis de mon ami Thomas. Et nous discutions justement de cela, en rentrant à la maison, après le discours du directeur. Thomas finit par constater que notre seul espoir de salut était de mettre les Pirates hors d'état de nuire.

« Puisque nous ne pouvons les dénoncer, me dit-il, il ne nous reste plus qu'à prendre nous-mêmes l'affaire en main. Il est grand temps ! Sinon nous ne tarderons pas à nous trouver dans un terrible pétrin.

— Mais comment faire ? lui demandai-je. Il ne fait pas bon se frotter à Oscar !

— Je m'en charge », répliqua Thomas, très calme.

Mon ami Thomas, dont il sera souvent question au cours de cette histoire, est le garçon le plus remarquable que j'aie jamais connu. Il a le même âge que moi : treize ans. Comme il est grand et élancé, on ne devine pas à première vue qu'il est extrêmement robuste, mais c'est un sportif accompli, et il lui est même arrivé de battre, dans des compétitions de lutte ou de boxe, des garçons bien plus âgés que lui. Pourtant, ce n'est pas un bagarreur, loin de là ! Il est aimable, bienveillant et, s'il se montre parfois d'une folle gaieté, il est dans l'ensemble d'un tempérament plutôt sérieux. Pendant ses heures de liberté, il donne un coup de main à son père qui est établi cordonnier dans une petite ruelle appelée le Raidillon, à cinq minutes du marché aux Chèvres.

Ce soir-là, je raccompagnai Thomas jusque chez lui. Nous parlâmes encore longuement des Pirates et de leur audace grandissante, mais nous étions loin de penser que les événements allaient nous obliger à entrer en lutte avec cette redoutable bande. Thomas ne s'était pas trompé en prévoyant qu'Oscar et les siens ne tarderaient pas à nous entraîner tous dans la catastrophe.

Mais je vais prendre maintenant les choses dans l'ordre pour raconter ce qu'il advint de nous, les enfants, lorsque nos parents eurent quitté la ville. J'espère que mon récit sera clair et intéressant, car je réussis généralement assez bien en rédaction (à part quelques petites difficultés avec l'imparfait du subjonctif).

Tout d'abord, je me présente : je m'appelle Michel Manfred ; mon père est papetier-libraire, et notre maison se trouve sur la place du Marché-aux-Chèvres qui est le centre de Timpelbach. Mes amis me surnomment parfois « Professeur » parce que je porte des lunettes et que je suis parmi les bons élèves de ma classe. J'espère pouvoir passer bientôt au collège moderne de Kollersheim, la grande ville voisine, pour y poursuivre mes études. Plus tard, je voudrais être ingénieur.

Naturellement, je me sers, pour rédiger cette histoire, de la machine à écrire de papa, car, pour un travail de cette importance, il ne me viendrait pas à l'idée d'utiliser un instrument aussi démodé qu'un crayon ou un porte-plume.

Mais dès ces premières pages, je dois constater que la dactylographie n'est pas aussi facile que je me l'imaginais. Je fais encore beaucoup de fautes de frappe. Souvent, je confonds les voyelles entre elles, et quand par exemple je veux écrire « aussi » ou « maison » il m'arrive de taper « uassi » ou « miason ». J'oublie parfois les espaces, ce qui donne naissance à des mots curieux tels que « vousdevrie zavoir honte » ou « Oscaravaitlapeausi dure ». De plus, je tape encore très lentement. Mais cela me plaît, et il est probable que, sans cette machine à écrire, je ne me serais jamais décidé à raconter l'histoire de « la ville sans parents ».

Je suis installé auprès de la fenêtre, et, de temps à autre, je jette un regard sur le marché aux Chèvres, qui fut le théâtre des événements les plus sensationnels de ce récit. C'est sur cette place que débouchent la plupart des rues de notre ville. Elle est entourée de hautes maisons à pignons, et possède quelques beaux monuments qui datent du Moyen Âge, en particulier l'église Saint-Matthieu et l'hôtel de ville. Au centre, il y a une belle fontaine que surmonte la statue de saint Matthieu.

Ce fut sur cette place qu'éclata la bombe, ou plus exactement que se produisit l'incident fatal qui fit déborder la fureur de nos parents excédés par tous les mauvais tours commis au cours des dernières semaines.

Par hasard, j'étais à la fenêtre de ma chambre, ce qui me permit de suivre le déroulement de l'affaire jusque dans ses moindres détails. Le chat Joseph sommeillait paisiblement sur le banc placé devant la boulangerie Bollner. Rêvait-il à la gentille petite chatte blanche avec laquelle je l'avais vu sur le toit de la maison voisine ? Ou bien à quelque pauvre souris sans défiance qui serait venue se jeter dans ses griffes ? Je n'en sais rien. Quoi qu'il en soit, il ne remarqua pas que Willy Hak s'approchait doucement de lui, et lui attachait un réveille-matin à la queue.

Malgré moi, je dus admirer cet exploit que n'eût pas désavoué le plus habile des Sioux. Comme le marché aux Chèvres était désert à cette heure, Willy put réaliser cette performance sans être aperçu de nul autre que moi. Et, à ma grande honte, j'avoue que je ne cherchai pas à l'en empêcher, car, oubliant mon amitié pour Joseph, j'étais soudain curieux de voir comment il allait se comporter avec cet engin en remorque.

Son forfait accompli, Willy se retira sous une porte cochère pour observer la scène de loin. Évidemment, il avait remonté le réveil à fond. Deux ou trois minutes s'écoulèrent, puis soudain la sonnerie stridente éclata tout près de l'oreille de Joseph. Le chat fit un bond gigantesque, retomba sur ses pattes et fila comme l'éclair à travers la place, poursuivi par le tintamarre du réveil qui claquait sur les pavés.

Au même instant, le facteur Kruger débouchait à bicyclette de la rue des Moines. Fou de terreur, le chat lui sauta sur le dos. Kruger donna un brutal coup de guidon, heurta un réverbère et s'étala avec fracas tandis que sa sacoche s'ouvrait, répandant lettres et paquets dans le ruisseau.

Mais déjà le chat était loin. Toujours poursuivi par le diabolique réveil, il s'élançait vers la pharmacie. Debout sur une échelle, le préparateur était justement en train de laver la vitrine avec une éponge et un seau d'eau. Joseph escalada les premiers barreaux de l'échelle et se réfugia sur les épaules du malheureux garçon. Celui-ci perdit l'équilibre et dégringola de l'échelle, entraînant dans sa chute Joseph et le seau d'eau.

Une vieille demoiselle qui, par malheur, passait justement devant la pharmacie fut inondée de la tête aux pieds. Elle poussa un hurlement de terreur et tomba évanouie sur le trottoir. Son cri donna le coup de grâce au chat épouvanté qui fila telle une flèche à l'intérieur de la pharmacie d'où l'on ne tarda pas à entendre un terrible fracas de verre brisé. Le pharmacien sortit en courant de sa boutique, les bras au ciel, en criant d'une voix perçante :

« Cette sale bête a tout cassé ! Cette sale bête a tout cassé !... »

Et il se rua vers l'avertisseur d'incendie dont il brisa la glace d'un coup de poing.

Cette fois, je me hâtai d'abandonner mon poste d'observation, et je descendis sur la place du Marché-aux-Chèvres pour tenter de capturer Joseph avant qu'il eût dévasté toute la ville.

Mais j'arrivai trop tard. Le chat avait déjà quitté la pharmacie, et il bondissait à travers une fenêtre de l'hôtel de ville pour tomber dans le bureau du maire !

Attirés par les cris du pharmacien, les gens sortaient des maisons, et bientôt la place fut noire de monde. On accourait des rues voisines. Les curieux se pressaient autour du pharmacien, mais il était si bouleversé qu'il ne savait que répéter :

« Cette sale bête a tout cassé !

— Quelle bête ? » lui demandait-on en vain.

Le facteur Kruger fendit la foule et s'approcha en brandissant d'une main vengeresse un paquet de lettres souillées par la boue du ruisseau.

« C'est ce maudit chat ! » rugit-il.

La vieille demoiselle sortait maintenant de son évanouissement et commençait à glapir des insultes contre l'imbécile qui l'avait douchée. Sans l'écouter, le préparateur se tâtait précautionneusement les membres pour s'assurer qu'il n'avait rien de cassé. La confusion était à son comble ; nul ne savait exactement ce qui était arrivé.

« Au feu ! au feu ! » cria-t-on soudain de tous côtés.

En effet, une épaisse fumée noire sortait par la porte de la pharmacie. Par bonheur, les pompiers arrivèrent quelques instants plus tard et ils noyèrent facilement ce début d'incendie provoqué par le chat qui avait dû briser certains bocaux contenant des produits inflammables.

Maintenant, toute la population de Timpelbach était réunie sur la place. Seul, Willy avait jugé prudent de s'esquiver, pour des raisons que j'étais sans doute seul à connaître.

Soudain, un grand silence se fit, car le maire, M. Krog, était apparu au sommet du perron de l'hôtel de ville. Rouge comme la crête d'un coq, sa barbe blanche tremblant d'indignation, il tenait d'une main Joseph serré contre lui, tandis que de l'autre il brandissait le réveille-matin.

« À qui appartient ce chat ? » demanda-t-il d'une voix tonitruante.

Le boulanger Bollner leva timidement le bras.

« Il est à moi, m'sieur le maire !

— Bollner, est-ce vous qui lui avez attaché ce réveil à la queue ?

— Dieu m'en garde ! protesta le pauvre homme, tout décontenancé par un tel soupçon.

— Ce sont encore les enfants qui ont fait ce coup ! » glapit la vieille demoiselle.

Il y eut alors quelques secondes d'un silence redoutable pendant lesquelles les enfants échangèrent des regards inquiets. Puis le maire projeta Joseph au bas des marches, et fit suivre au réveil le même chemin.

« Ce maudit animal m'a sauté en pleine figure ! cria-t-il si fort qu'on l'entendit à l'autre extrémité de la place. J'en ai assez ! Assez ! Assez ! Nous allons en finir avec ces diaboliques enfants ! Notre patience est à bout ! Nous allons en finir une bonne fois pour toutes !...

— Bravo ! clamèrent les parents. Vous avez raison ! Finissons-en !... »

Terrifiés par ces menaces, nous avions déjà commencé à reculer lentement. Et lorsque les parents se retournèrent vers nous avec des mines peu rassurantes, nous prîmes nos jambes à notre cou pour nous disperser dans toutes les directions comme une volée de moineaux.

2

Thomas entre en scène

Je courus d'une seule traite jusqu'à la boutique du cordonnier Wank. Le soir venait déjà. Je trouvai mon ami Thomas assis près de la porte ouverte, en train de planter des clous dans une semelle. Il était seul. Sans aucun doute, son père et sa mère devaient être restés sur le marché aux Chèvres, avec les autres parents furieux et indignés.

« Ça y est ! m'écriai-je. Nous voilà tous dans le pétrin, comme tu l'avais prévu ! Nos parents veulent se débarrasser de nous ! C'est la catastrophe !... »

Thomas reposa tranquillement son marteau.

« Qu'est-ce qui te prend ? me demanda-t-il en souriant. Tu ne dérailles pas un peu ?

— Certainement pas ! Ils ont juré de se venger de nous... Si tu avais pu les entendre !... »

Après avoir repris mon souffle, je lui racontai rapidement ce qui s'était passé sur la grand-place.

Dès que j'eus terminé, Thomas se dressa et dénoua son tablier de cuir.

« Oui, c'est le bouquet ! constata-t-il froidement. Allons ! Viens vite ! »

Et il s'élança hors de la boutique. Je le suivis.

« Où vas-tu donc ? lui criai-je.

— Chez les Pirates ! »

En quelques enjambées, je le rattrapai, et nous remontâmes rapidement la petite rue.

« Chez les Pirates ? répétai-je avec étonnement. Que vas-tu faire chez eux ?

— Il nous faut savoir ce qu'ils ont derrière la tête. Peut-être pourrions-nous les persuader de se montrer plus raisonnables. Si la plupart des gosses font ces bêtises, c'est surtout parce qu'ils n'osent pas désobéir à Oscar.

— Nous risquons surtout de récolter une bonne raclée ! soupirai-je. Tu sais fort bien qu'Oscar ne peut pas nous sentir...

— Bah ! Il ne nous mangera pas. Viens vite ! »

Je trouvais son idée ridicule. C'était aux Pirates de payer les pots cassés, nous n'avions pas à nous en mêler. Mais Thomas est ainsi : il faut qu'il s'occupe de tout, même de ce qui ne le regarde pas.

Nous venions de tourner dans la rue de la Paix lorsque nous tombâmes sur Henri Himmel qui accourait en sens inverse.

« Savez-vous la nouvelle ? nous demanda-t-il, tout excité. Les parents veulent notre peau ! »

Henri est notre plus fidèle ami. C'est un petit bossu de douze ans, de santé délicate, et que certains enfants taquinaient parfois méchamment jusqu'au jour où Thomas l'a pris sous sa protection. Aussi Henri lui a-t-il voué une reconnaissance sans bornes.

« Je suis déjà au courant, lui répondit Thomas. Ont-ils décidé quelque chose ?

— Je n'en sais rien. Ils sont restés longtemps sur la place, en discutant entre eux. "Grincheux" était naturellement l'un de ceux qui criaient le plus fort ! Puis ils sont tous entrés dans l'hôtel de ville et ont refermé la porte. J'étais monté dans un arbre pour les surveiller, mais je n'ai pas pu entendre ce qu'ils disaient. Ils préparent quelque chose, c'est certain. J'ai tenu à vous avertir...

— Merci », lui dit Thomas en lui tapotant l'épaule.

Henri se rengorgea, comme chaque fois que Thomas lui adressait quelque éloge.

« Où allez-vous, maintenant ? reprit-il.

— Nous avons l'intention d'obliger les Pirates à mettre les pouces », répondis-je en affectant une assurance que j'étais loin de ressentir.

Henri ouvrit de grands yeux. Lorsqu'il apprit que nous nous rendions de ce pas chez les Pirates, il demanda à nous accompagner. Mais Thomas refusa carrément.

« Toi, mon petit, tu vas rentrer chez toi ! lui dit-il. C'est compris ? En notre compagnie, tu risquerais de ramasser quelque mauvais coup. Nous n'allons pas à une partie de plaisir. »

Je ne suis pas un lâche, mais cette dernière phrase me donna un petit frisson d'inquiétude.

« C'est bon, répondit Henri, déçu. Je ferai de mon mieux pendant ce temps-là ! »

Nous poursuivîmes notre route, et bientôt nous arrivâmes à proximité du lieu de réunion des Pirates. C'était un manège désaffecté, construit au siècle dernier par un riche amateur de chevaux, mais qui n'était plus utilisé depuis des années, les gens de Timpelbach ne possédant pas de chevaux de selle. Au centre, il y avait une vaste piste de sable ; sur les côtés, des bancs et des gradins séparés de la piste par une barrière. Auparavant, les enfants de la ville venaient y jouer au tournoi ou à la course de taureau, jusqu'au jour où Oscar décida de le confisquer au profit de ses Pirates. Maintenant, seuls y étaient admis les membres de son organisation.

Nous franchîmes la clôture et, en traversant un grand jardin à l'abandon, nous nous approchâmes sans bruit du manège, un long bâtiment en briques rouges, aux hautes fenêtres étroites, derrière lesquelles dansait une faible lueur. Prudemment, nous nous glissâmes à l'intérieur par une petite porte dérobée dont Thomas connaissait l'existence, et que les Pirates n'avaient pas songé à faire garder ce soir-là.

Un murmure confus emplissait la vaste salle du manège. J'avoue qu'en y pénétrant je sentis mes genoux fléchir, mais pour rien au monde je n'aurais voulu le reconnaître devant Thomas. Celui-ci referma doucement la porte, puis nous restâmes immobiles, dans l'ombre, le long du mur.

De nombreux garçons et filles de dix à treize ans avaient pris place sur les gradins et conversaient à mi-voix. Quelques-uns étaient perchés sur la barrière. Au milieu de la piste, on avait disposé une grande caisse sur laquelle brûlaient trois bougies plantées dans des bouteilles de bière. Assis sur un banc, derrière cette tribune improvisée, j'aperçus Oscar, le chef des Pirates, flanqué de ses lieutenants Willy Hak et Jean Krog, le fils du maire. Tous trois portaient des loups taillés dans du papier journal, mais je les reconnus sans peine. Devant lui, sur la caisse, Oscar avait déposé une hache, probablement subtilisée à son père. Thomas m'empoigna par le bras et, à voix basse, me recommanda de ne pas bouger.

« Tu resteras ici, quoi qu'il arrive ! ajouta-t-il. Je te charge de couvrir notre retraite en cas de danger ! »

J'approuvai d'un signe de tête, sans détourner les yeux de l'étrange spectacle. Les grandes ombres projetées par la lumière incertaine dansaient bizarrement sur les murs nus.

Soudain, Oscar se leva d'un bond et frappa trois fois de sa hache sur la caisse, faisant tressauter les bougies. Tout aussitôt, les enfants cessèrent de bavarder.

« Mes chers Pirates ! commença Oscar d'un air important. Vous savez que nos parents commencent à se fâcher. Ils se sont réunis sur le marché aux Chèvres et ils ont fait de longues palabres sur la façon de nous mater. Mais ils ne nous font pas peur, n'est-ce pas ? Et nous allons le leur prouver en ne rentrant pas chez nous ce soir. Restons tous ici ! Ils finiront bien par se calmer. »

Un profond silence accueillit cette proposition. Les enfants paraissaient indécis, mais n'osaient trop se rebeller contre l'autorité de leur chef. Seul, un gamin leva le doigt, comme à l'école. C'était Fred Bollner, le fils du boulanger.

« Moi, j'aimerais quand même aller me coucher ! dit-il d'une voix pleurarde.

— Espèce de froussard ! rugit Oscar. J'entends d'ici tes genoux qui jouent des castagnettes ! »

Il y eut quelques rires, un peu forcés, me sembla-t-il. Puis Oscar donna un nouveau coup de hache sur la caisse.

« Nos chers parents ont sans doute décidé de nous mettre sous clef pour nous punir ! poursuivit-il. Mais ils ne nous auront pas ! Nous resterons toute la nuit ici, et ils seront bien attrapés ! Maintenant, suffit ! Quelqu'un a-t-il quelque chose à dire ? »

Une petite fille se leva. C'était Charlotte Drohne, la fille du juge.

« Ma maman va s'inquiéter », dit-elle timidement.

Oscar éclata de rire.

« Ta maman regrettera surtout de ne pas pouvoir te donner la fessée ! Mais tu peux filer. Nous savons comment punir les traîtres.

— Les traîtres passent devant notre tribunal secret ! » proféra Jean Krog d'une voix caverneuse.

Brusquement, Thomas s'écarta de moi. Il sauta par-dessus la barrière, et en quelques bonds se trouva au milieu de la piste.

« Ne vous laissez pas faire, imbéciles que vous êtes ! cria-t-il de toutes ses forces. Oscar n'est qu'une tête brûlée... Il vous attirera toutes les catastrophes !... »

Les enfants se dressèrent, stupéfaits. Seul, le gros Oscar resta cloué sur place, ébahi par cette soudaine apparition, au point de ne rien trouver à répliquer.

« Rentrez chez vous, reprit Thomas. N'écoutez pas Oscar ! Lui, ça ne lui fait rien quand son père lui donne une raclée... Il n'a d'ailleurs pas le moindre amour-propre... Mais vous, vous la sentirez passer, si vous l'écoutez ! Rentrez chez vous ! Laissez tomber ces stupides histoires de pirates !... »

Les paroles de Thomas semblaient porter sur cet auditoire déjà hésitant. Quelques filles se mirent à pleurnicher. Mais déjà Oscar était revenu de sa surprise.

« Espèce d'âne ! » rugit-il en se précipitant sur Thomas.

Celui-ci réagit instantanément en assenant une terrible gifle à son adversaire qui dut reculer en titubant. Son masque en papier avait glissé et l'aveuglait.

« Rentrez chez vous ! cria, de nouveau Thomas.

— Willy ! Jean ! Emparez-vous de lui ! » ordonna le gros Oscar tout en cherchant à se débarrasser de son masque.

Les deux lieutenants du chef se dirigèrent vers Thomas, mais sans manifester une hâte excessive. Enfin, Oscar parvint à arracher son masque. Encore étourdi par la gifle magistrale qu'il avait reçue, il se frottait la joue.

« Comment as-tu fait pour entrer ? demanda-t-il rageusement.

— Je suis passé par la cheminée », répondit Thomas, ce qui provoqua quelques rires.

Oscar fut piqué au vif.

« J'ai un vieux compte à régler avec toi, dit-il

entre ses dents. C'est une chance que tu sois enfin sorti de ton trou à rat !

— Capitaine Crochet, j'entends vos dents de lait claquer de terreur ! » répliqua Thomas.

Il y eut de nouveaux rires parmi les spectateurs.

« Attends un peu ! gronda Oscar en se rapprochant de lui.

— Fais bien attention ! lui conseilla Thomas. Je vais te faire passer par le moulin à viande ! »

Les rires des enfants déferlèrent dans la vaste salle.

C'en était trop pour Oscar. La tête en avant, il fonça comme un taureau furieux. Mais Thomas s'écarta lestement, tandis que le gros garçon, emporté par son élan, s'étalait tout de son long. Il se redressa d'un bond et fit pleuvoir sur son adversaire une grêle de coups. Thomas riposta de son mieux, et bientôt Oscar se mit à saigner du nez, ce qui ne fit qu'accroître sa colère. À plusieurs reprises, il tenta d'atteindre Thomas au creux de l'estomac, mais l'autre déjouait habilement toutes ses attaques.

Maintenant, les Pirates faisaient cercle autour des deux combattants.

« Vas-y, Oscar ! criaient les garçons qui espéraient la victoire de leur chef.

— Arrêtez-vous ! » gémissaient les filles.

Moi, je ne bougeais pas de ma place, auprès de la petite porte, comme me l'avait recommandé mon ami, et je tremblais à l'idée qu'il pourrait succomber, car Oscar était nettement plus robuste que lui. Mais Thomas compensait largement cela par son intelligence et sa souplesse.

Ils roulèrent tous deux sur le sable où ils continuèrent à lutter avec acharnement. Tantôt Oscar avait le dessus, tantôt c'était Thomas. Puis ils se redressèrent, et le combat se poursuivit. Leurs ombres gigantesques dansaient sur les murs de la salle. Soudain Thomas atteignit son adversaire au creux de l'estomac : le gros Oscar en eut le souffle coupé et se cassa en deux. Alors Willy et Jean s'élancèrent à son secours.

« Attention ! » hurlai-je.

Thomas se retourna d'un bond. En apercevant ces deux nouveaux adversaires, il donna un violent coup de pied à la caisse qui se renversa. Les bougies s'éteignirent. D'un seul coup, ce fut l'obscurité complète.

Anxieusement, je me demandais comment je pourrais tirer Thomas de ce guêpier. Il ne m'était pas permis de quitter mon poste. D'ailleurs, qu'aurais-je pu faire contre tous les Pirates qui l'entouraient ? Soudain, une idée m'illumina : je lançai quelques coups de pied dans la porte tout en criant le plus fort possible :

« Les parents arrivent ! »

Il y eut un instant de silence, qui fut suivi par un fracas de bousculade, par des chocs sourds, des piétinements et des halètements, comme si un troupeau de buffles se mettait en mouvement. Tout à coup, je devinai que Thomas était auprès de moi.

« Filons ! » souffla-t-il en me prenant par la main.

Après avoir traversé le jardin et escaladé la clôture, nous courûmes d'une seule traite jusqu'à la maison de mon ami. Thomas, épuisé, se laissa tomber sur un escabeau.

« Ouf ! fit-il, en frottant une bosse qui ornait son front.

— Bravo ! lui dis-je. Tu lui as donné une bonne leçon !

— J'ai pas mal écopé, moi aussi, répliqua-t-il en tâtant avec inquiétude son nez qui commençait à enfler.

— Ça ne fait rien, Thomas, tu es un héros ! »

Je lui tendis la main, mais il fit semblant de ne pas la voir. Thomas est en effet un garçon qui déteste les louanges. Il fait ce qu'il considère comme son devoir, et cela lui suffit.

« En tout cas, reprit-il en riant, tu as eu une fameuse idée de crier : "Les parents arrivent !" Sans ça, je crois que j'aurais passé un mauvais quart d'heure.

— Penses-tu ! Je serais venu à la rescousse !

— ... Et ils t'auraient brisé tes lunettes ! Tu aurais entendu ton père !... »

Au même instant, les parents de Thomas apparurent sur le seuil de la boutique. M. Wank est un homme grand, maigre et silencieux, qui se tient toujours un peu voûté et regarde les gens par-dessus ses épaisses lunettes. Sa femme, au contraire, est toute petite, rondelette, et elle parle avec une telle vivacité qu'on ne comprend pas la moitié de ses paroles.

Mais ce soir elle était devenue muette, et elle passa devant nous sans nous accorder un regard.

« Bien le bonsoir ! » dis-je poliment.

Comme si je n'avais pas existé, Mme Wank s'engouffra dans son appartement. M. Wank, lui non plus, ne répondit rien. Il hocha la tête deux ou trois fois, nous contempla d'un œil affligé, puis il se gratta la tête et, avec un profond soupir, il suivit sa femme.

Thomas et moi nous restâmes comme pétrifiés en nous regardant avec des yeux ronds.

« De l'orage dans l'air ! dit enfin Thomas.

— Et moi qui croyais que tu allais recevoir une raclée pour être sorti sans les avertir !

— On dirait que tu le regrettes ! fit Thomas sur un ton un peu piqué.

— Oh ! non. J'en ai d'ailleurs une qui doit m'attendre à la maison.

— Tu sauras que mon paternel ne me bat jamais.

— Le mien non plus, constatai-je. Mais aujourd'hui les parents ont peut-être pris une décision commune.

« — À moins qu'ils n'aient manigancé autre chose !

— Possible ! » soupirai-je.

Thomas leva le doigt.

« Mon cher Professeur, dit-il avec un accent prophétique, je sens qu'il y a quelque chose de louche là-dessous. »

Et il ne se trompait pas. Nous ne devions pas tarder à apprendre que les autres parents s'étaient comportés ce soir-là d'une façon aussi étrange que M. et Mme Wank. Après avoir été chassés du manège par un vent de panique, les Pirates avaient longuement erré dans les rues avant d'oser rentrer chez eux. Mais quand ils s'y décidèrent enfin, tête basse, redoutant les pires catastrophes, ô miracle ! il ne leur arriva rien : pas de cris, pas de punitions, pas de gifles ! Ils poussèrent un gros soupir de soulagement, et s'en furent se coucher sans demander leur reste.

S'ils avaient pu se douter de ce qui les attendait le lendemain matin !

3

La ville abandonnée

Je m'éveillai en sursaut, au moment où l'horloge de l'église Saint-Matthieu sonnait huit heures.

D'habitude, ma mère me réveille à sept heures. Je saute tout aussitôt du lit en prenant bien soin de poser d'abord le pied droit par terre, car, sans être superstitieux, je n'aime pas me lever du pied gauche. Ce matin-là, je fis de même... et je me blessai le gros orteil droit en marchant sur un rail de mon train mécanique que j'avais eu la bonne idée d'installer auprès de mon lit. En clopinant, je me dirigeai alors vers la fenêtre pour voir l'heure à l'horloge de l'église. Mais j'avais oublié mes lunettes. Comme je revenais les chercher sur la table de nuit, je butai sur la gare de mon train et me fis mal à l'autre pied. La journée commençait bien ! Mes lunettes n'étaient d'ailleurs pas sur la table de nuit. Je finis par les découvrir dans un coin de mon lit. Par chance, elles étaient intactes.

Je commençai à m'énerver en songeant que j'allais arriver avec une demi-heure de retard à l'école. J'ouvris la porte et criai dans l'escalier :

« Maman ! Pourquoi ne m'as-tu pas réveillé ? Prépare-moi vite mon petit déjeuner !... »

Après m'être habillé en toute hâte, je descendis à la cuisine pour y faire ma toilette. Mais pas une goutte d'eau ne sortit du robinet. Décidément, tout se liguait contre moi !

Ce fut alors que je m'aperçus de l'absence de ma mère. J'allai frapper à la porte de sa chambre, sans obtenir de réponse. J'ouvris la porte pour jeter un coup d'œil à l'intérieur : personne. Je passai dans la salle de séjour : personne non plus. « C'est vraiment un peu fort ! » pensai-je. Mais je n'étais pas au bout de mes surprises.

Je remontai dans ma chambre, fourrai livres et cahiers dans ma serviette, puis je redescendis l'escalier quatre à quatre et passai dehors. Le rideau de fer du magasin était encore baissé ! Que se passait-il donc ? Je m'aperçus alors que toutes les autres boutiques du marché aux Chèvres étaient également fermées. « Serait-ce un jour férié ? » me demandai-je tout interdit. La place était déserte, silencieuse. Là-bas, un petit groupe d'enfants se dirigeait en toute hâte vers la rue des Moines où se trouve notre école.

Je rattrapai le gros Paul Brandstetter qui, tout en courant, finissait de boutonner son blouson. Il n'était pas peigné et avait l'air complètement égaré.

« Que t'arrive-t-il ? lui demandai-je.

— Mes parents ont disparu ! »

Je le saisis par le bras, l'obligeai à se tourner vers moi.

« Quoi ! Les tiens aussi ?

— Oui, et je n'ai même pas eu mon petit déjeuner ! » répondit-il d'une voix larmoyante.

Je sentis l'inquiétude me gagner. Entraînant le gros Paul, je m'élançai à la poursuite des autres pour les interroger. Une demi-minute plus tard, j'étais en vue de l'école, et j'aperçus un grand nombre d'enfants groupés devant la porte close. Quelques gamins coururent à ma rencontre.

« Manfred ! criaient-ils. Nos parents ne sont plus là !... L'école est fermée ! Il n'y a personne !... »

Mais, contrairement à ce que l'on aurait pu croire, ils ne semblaient pas autrement ravis.

« Allons ! allons ! fis-je en tentant de conserver mon calme. Où sont donc les parents ? Ils doivent bien se trouver quelque part !

— Ils ont disparu ! cria Charles Benz.

— Depuis chez moi jusqu'ici, je n'ai pas rencontré une seule grande personne ! déclara Fred Schluter qui habite assez loin du centre de la ville.

— Ils sont tous partis ! gémit une petite fille.

— C'est absurde ! dis-je. Pas la peine de pleurer. Il doit y avoir une explication toute simple. Les parents n'abandonnent pas ainsi leurs enfants. Ça ne s'est jamais vu.

— On ne m'a pas réveillé ce matin, et il n'y a personne dans toute la maison ! » affirma à

40

son tour Henri Wittner, le fils du directeur de la banque.

Cela commença à me faire réfléchir. Les Wittner sont des gens aisés, qui ont une bonne et une cuisinière. Même si les parents étaient sortis, les domestiques auraient dû se trouver à la maison.

« As-tu regardé dans la cave ? lui demanda un petit garçon.

— Non, avoua l'autre. Je n'ai pas osé... »
Je haussai les épaules.

« Ne dites pas de stupidités ! Pourquoi un directeur de banque irait-il se cacher dans sa cave ? »

Les enfants continuaient à arriver, et ils racontaient tous la même chose : on ne les avait pas réveillés, ils n'avaient pas eu leur petit déjeuner, leurs parents semblaient avoir disparu sans laisser de traces. Et non seulement les parents, mais aussi tous les oncles, tantes, domestiques, employés, apprentis, et même les grands-parents. En un mot, toutes les grandes personnes.

« C'est invraisemblable ! soupirai-je, songeur. Il va falloir se mettre à leur recherche...

— Mais où les chercher ? »

Je dus reconnaître que je n'en savais rien. Thomas Wank n'était pas encore arrivé, ce que je déplorais vivement, car il nous eût certainement donné un bon conseil.

« Tous les enfants sont-ils là ? » demandai-je un peu plus tard.

Ils étaient maintenant presque tous arrivés, à l'exception d'Oscar, de ses deux lieutenants, et d'une demi-douzaine d'autres qui devaient encore faire la grasse matinée.

Soudain, une idée inquiétante me vint. Je me rappelai en effet que je n'avais pu faire ma toilette, faute d'eau.

« Vous êtes-vous lavés ce matin ? » demandai-je autour de moi.

Il y eut un silence gêné.

« J'ai oublié, reconnut enfin Paulette Tucher en baissant les yeux.

— Puisque maman n'était pas là... », dit à son tour le fils du boulanger.

Les autres ne répondirent pas à ma question indiscrète. Sans attendre, je m'élançai vers la maison la plus proche, poussai la porte et parcourus les pièces désertes. Charles Benz et le gros Paul m'avaient suivi. Je passai dans la cuisine où je tournai le robinet. Pas une goutte d'eau.

« Ça y est ! grondai-je. On a coupé l'eau !

— Catastrophe ! gémit le gros Paul. Nous allons mourir de soif ! »

Je me retournai vers mes deux compagnons.

« Pas d'affolement ! leur recommandai-je. Pour l'instant, nous n'en parlerons à personne. C'est compris ? »

Après qu'ils m'eurent promis de ne pas révéler ce fait à leurs camarades, nous passâmes de nouveau sur le seuil. Les enfants étaient toujours groupés devant l'école, ne parlant qu'à mi-voix, regardant autour d'eux d'un air anxieux. Certains avaient posé leur cartable par terre pour s'asseoir dessus, comme s'ils se résignaient à attendre de longues heures. Ceux d'entre eux qui faisaient partie des Pirates paraissaient encore moins fiers que les autres, et ils devaient amèrement regretter leurs vilains tours. En effet, il devenait de plus en plus évident que la mystérieuse disparition des parents était en relation avec les méfaits commis par les galopins ces derniers jours.

Au bout de quelques minutes, je sentis l'irritation me gagner. Nous n'allions tout de même pas rester là toute la journée, en attendant que nos parents veuillent bien sortir de leurs cachettes ! Car j'étais persuadé qu'ils s'étaient seulement cachés quelque part pour nous inspirer une terreur salutaire.

À ce moment-là, je vis Thomas et Henri apparaître au coin de la rue. J'allai à leur rencontre.

« Je sais tout, me dit Thomas, comme j'entreprenais de le mettre au courant. Depuis plus d'une heure, nous parcourons la ville. Nous avons cherché dans tous les coins...

— Et alors ? » demandai-je.

Les enfants s'étaient précipités vers Thomas et faisaient cercle autour de lui. Nous étions tous suspendus à ses lèvres, dans l'attente de sa réponse.

« La ville est complètement déserte, déclara-t-il. C'est certain : nous sommes seuls. »

Mais la chose me paraissait si incroyable que je me refusais encore à l'admettre.

« Et s'ils étaient tout simplement cachés dans l'hôtel de ville ? » suggérai-je.

Mes paroles provoquèrent une explosion d'allégresse.

« Tous à l'hôtel de ville ! » crièrent les enfants en s'élançant vers le marché aux Chèvres.

Thomas et moi nous les dépassâmes pour nous placer en tête du cortège. Ce devait être assurément un curieux spectacle, que de voir cette bande hurlante traverser la grande place pour monter à l'assaut de l'hôtel de ville. Thomas bondit au sommet des marches, s'approcha de la porte, puis s'arrêta net en apercevant une affiche rouge fixée sur l'un des panneaux. Après l'avoir lue, il l'arracha et se retourna vers nous en l'agitant au-dessus de sa tête comme un drapeau.

Les enfants se massèrent au bas des marches. Peu à peu le tumulte s'apaisa. Debout à côté de mon ami, je dominais la grand-place où se trouvaient maintenant groupés la plupart des enfants de Timpelbach. Mais soudain j'aperçus dans le coin du tableau quelque chose qui me donna un petit frémissement d'inquiétude : Oscar, Willy et Jean venaient de déboucher de la Grand-Rue, les bras chargés de paquets et de sacs. Ils s'arrêtèrent, surpris de voir tous ces enfants qui leur tournaient le dos, puis ils se rapprochèrent sans se faire remarquer et vinrent s'asseoir sur le rebord de la fontaine qui orne le centre de la place. Ce fut alors que je constatai avec effroi qu'ils transportaient des jouets, provenant sans aucun doute du pillage d'une boutique !

Entre-temps, Thomas avait déployé l'affiche que l'on avait dû imprimer au cours de la nuit.

« Nos parents nous ont laissé un message ! » cria-t-il.

Puis, quand l'agitation qu'avaient provoquée ces mots se fut calmée, il se mit à lire lentement, d'une voix forte :

À nos enfants ingrats et dénaturés !

Nous en avons assez ! Notre patience est à bout car, ces derniers temps, vous avez dépassé toutes les bornes de la méchanceté et de la stupidité. Aussi renonçons-nous à tout espoir de vous donner un jour une bonne éducation. Notre décision est irrévocable : à partir d'aujourd'hui, nous ne voulons plus rien savoir de vous.

C'est pourquoi nous abandonnons la ville pour toujours. Tâchez de vous tirer d'affaire sans nous. Vous avez définitivement perdu l'affection de vos parents. Inutile de vous mettre à notre recherche, car vous ne nous retrouverez pas ! Cela vous fera du bien de constater que les parents ne servent pas seulement à subir les caprices des enfants. Adieu !

Les Parents de Timpelbach.

Thomas replia lentement l'affiche et la fourra dans sa poche. Les enfants restaient muets de stupeur.

Pour ma part, je ne trouvai pas ce message extrêmement spirituel. À coup sûr, c'était « Grincheux » qui l'avait rédigé !

4

Une expédition qui finit mal

J'avais raison : c'était bien le directeur de l'école, M. Beese, qui avait conçu cette proclamation. Je l'ai appris par le facteur Kruger qui, quelques jours plus tard, devait me raconter toutes les péripéties de cette fameuse aventure : la conspiration nocturne des parents à l'hôtel de ville, leur départ matinal et leur peu glorieuse expédition dans la forêt de Reckling. Celle-ci, comme vous l'ignorez peut-être, recouvre la montagne au-dessus de Timpelbach, et s'étend bien au-delà de la frontière du pays voisin.

J'avais rendu un grand service au facteur Kruger en retrouvant une lettre chargée qu'il avait égarée au cours de sa tournée. Ce fut sans doute pour me prouver sa reconnaissance qu'il consentit à me révéler certains épisodes de cette mésaventure que nos parents auraient bien voulu tenir secrets.

« Ah ! oui, commença-t-il après avoir allumé sa pipe. Nous voulions vous donner une bonne leçon ! Nous voulions faire peur à tous ces galopins que vous êtes. Mais nous n'avions pas l'intention de rester absents plus de la journée, ça non !... »

Il tira son grand mouchoir à carreaux et s'essuya la nuque.

« Ah ! si tu avais pu voir ça ! reprit-il. C'était un drôle de spectacle, le soir, dans la salle des fêtes de l'hôtel de ville ! M. le maire n'arrêtait pas de crier : "Il nous faut faire un exemple ! Un exemple !" De son côté, le pharmacien annonçait qu'il allait engager des poursuites contre tous les enfants de la ville pour obtenir des dommages-intérêts !... Mais M. Lapointe, l'avoué, lui répliquait que, juridiquement, votre responsabilité n'était pas prouvée... »

Kruger pouffa dans sa longue moustache, puis me fit un clin d'œil moqueur.

« ... Le brigadier Kogel, lui, proposait de vous mettre en prison pour trois jours. Mais l'ennui c'est qu'à la gendarmerie ils n'ont qu'une petite cellule qui contient tout au plus trois personnes. Vous n'y seriez jamais entrés tous ! Le directeur d'école voulait vous donner vingt-quatre heures de retenue, pendant lesquelles vous auriez écrit mille fois : "Nous, les enfants de Timpelbach, reconnaissons que nous sommes d'indécrottables voyous."

— C'est bien de lui ! fis-je remarquer.

— Les parents ne parvenaient pas à se mettre d'accord, poursuivit Kruger. L'un voulait ceci, l'autre cela. La salle des fêtes était pleine à craquer. Le maire avait convoqué toutes les grandes personnes de la ville, et même les jeunes gens ayant plus de quinze ans. La discussion n'en finissait pas. Le boucher Stettner proposait de vous donner à chacun une de ces corrections dont il fait bénéficier son fils Oscar. Votre père et M. Wank étaient indignés par ces propos.

Bref, on n'en sortait pas. Tout à coup, M. Drohne, le juge, a mis son chapeau et s'est levé. Tout le monde l'a imité, comme s'il allait prononcer un jugement. Il a fait un discours magnifique, que j'ai retenu mot pour mot.

« "Pauvres parents de Timpelbach ! a-t-il dit. Bien que je n'aie comme enfant qu'une gentille petite fille, j'ai tenu à être parmi vous en cette heure d'épreuve. Ma vieille expérience de la délinquance juvénile m'a appris qu'on ne parvient pas à élever les enfants en les battant. Les principes qui animent mon activité judiciaire aussi bien que ma vie familiale sont d'ailleurs bien connus de tous : ne pas punir, mais corriger ! Ne pas condamner, mais comprendre ! Ne pas désespérer, mais prévenir !..."

« À ce moment, il y a eu quelques "hum !" dans l'auditoire, car le juge Drohne n'a pas la réputation d'être particulièrement tendre. Mais il a fait comme s'il n'entendait pas.

« "C'est pourquoi, a-t-il repris, je ne refuserai pas les circonstances atténuantes à ces jeunes égarés. En effet, certains parents, que je ne nommerai pas, font preuve de négligence ou de brutalité, et sont donc partiellement responsables des méfaits commis par leurs enfants. Je pense qu'il est encore temps de ramener notre jeunesse dans le droit chemin. Prouvons à nos enfants qu'ils ont besoin de nous, et que nous ne sommes pas leurs ennemis. C'est pourquoi je propose de quitter la ville pour une journée entière. Si, pendant vingt-quatre heures, les enfants n'ont rien à boire et à manger, s'ils se trouvent sans eau, ni gaz, ni électricité, ils comprendront très vite que les parents ne sont pas seulement une plaie, mais représentent en même temps l'avantage de veiller au bien-être de leurs enfants et de la communauté tout entière !"

« Ça, c'était un discours ! Tout le monde a été enthousiasmé. On a donc décidé de quitter Timpelbach de grand matin et de n'y revenir qu'à la nuit tombée. Nous voulions vous faire une belle peur. Mais pour que cette peur fût salutaire, vous deviez être persuadés que nous ne reviendrions plus jamais. C'est pourquoi M. Beese a rédigé la proclamation que M. Kauer a imprimée la nuit même dans son atelier.

« Au petit jour, on baissa les rideaux des boutiques, on coupa l'eau, on arrêta l'usine d'électricité, et, par mesure de précaution, on fit disparaître allumettes et briquets. Nous nous sommes retrouvés dans le jardin public, peu avant le lever du soleil. Tout le monde était là, jusqu'à M. Werner, le chef de gare, qui nous a dit que pour une fois le train pourrait partir sans lui. Les mères qui avaient de petits enfants les portaient sur les bras. Les hommes étaient chargés de paniers et de sacs à dos emplis de provisions. Nous avions l'intention de nous enfoncer profondément dans la forêt de Reckling, pour que vous ne puissiez pas nous retrouver. Quand tous les adultes de Timpelbach furent réunis, on donna le signal du départ.

« Au début, tout se passa très bien. Ce jour de congé inattendu nous mettait d'excellente humeur. Il faisait beau, les oiseaux chantaient, les écureuils gambadaient dans les arbres... Quelques-uns d'entre nous commencèrent à chanter de vieux refrains. Bref, nous nous sentions très en forme, et nous ne regrettions pas notre escapade !

« À midi, on décida de faire halte. On déjeuna sur l'herbe, on donna le biberon aux bébés, puis on alluma du feu pour faire le café. Après ça, une bonne sieste ! Deux heures plus tard, on sonnait le départ. Nous étions maintenant au cœur de la forêt. Tout à coup, nous nous sommes trouvés à un carrefour. Personne ne savait de quel côté se diriger. À droite ou à gauche ? Le maire et le directeur d'école faillirent se prendre aux cheveux : l'un voulait aller à gauche, l'autre à droite. Après une interminable discussion, M. Krog et M. Beese décidèrent de jouer à "Papier-Caillou-Ciseaux". Le gagnant prendrait le chemin qu'il voudrait. »

À ce moment-là, j'interrompis Kruger.

« Que veut dire "Papier-Caillou-Ciseaux" ? »

Avant de répondre, le facteur cura sa pipe qui s'était éteinte, puis il m'expliqua en quoi consistait ce jeu.

« C'est très simple, dit-il. Tu fermes ton poing et tu le balances trois fois en l'air. À la troisième fois tu déplies deux doigts : ce sont les ciseaux. Ou bien tu ouvres toute la main : c'est le papier. Ou encore tu gardes ton poing fermé : c'est le caillou. Ton adversaire balance son poing en même temps que toi. Si je fais les ciseaux et toi le papier, j'ai gagné, parce que les ciseaux coupent le papier. Mais si je garde mon poing fermé, c'est toi qui gagnes, parce que le papier enveloppe le caillou...

— Compris ! dis-je. Et si je fais les ciseaux tandis que vous faites le caillou, c'est vous qui gagnez parce que les ciseaux ne peuvent couper le caillou.

— Tonnerre ! s'écria Kruger. Tu es drôlement intelligent, mon petit Manfred. Pourquoi n'entres-tu pas dans les P.T.T. ?

— On verra ça plus tard, répliquai-je en souriant. Mais racontez-moi vite la suite. Qui a gagné ? Krog ou "Grincheux" ?

— Hélas ! ç'a été M. Beese ! Krog a fait le papier mais Beese les ciseaux. Et voilà pourquoi nous avons eu tous ces ennuis. Naturellement, c'était le mauvais chemin, celui qui nous éloignait de Timpelbach. Nous avons ainsi marché pendant des heures. Les femmes commençaient à se lamenter, elles reprochaient maintenant à leurs maris de s'être lancés dans cette ridicule aventure. M. Beese évitait de se faire remarquer. M. Krog, lui, était furieux qu'on ne l'ait pas écouté. Le receveur des P.T.T. s'était foulé la cheville et n'avançait qu'à grand-peine. L'avoué, M. Lapointe, qui pèse dans les cent kilos, soufflait comme un phoque. Puis nous sommes arrivés devant une petite rivière qu'il nous a fallu traverser à gué en portant ces dames sur notre dos. Enfin, tout le monde s'est retrouvé sur l'autre rive avec les pieds mouillés. Hélas ! nous étions tombés dans la gueule du loup, car, sans nous en douter, nous venions de franchir la frontière ! À peine avions-nous fait quelques pas que nous vîmes des soldats étrangers se précipiter vers nous, baïonnette au canon ! Nous avons cru notre dernière heure venue. Les soldats nous ont entourés et nous ont conduits jusqu'au poste-frontière le plus proche où l'on nous installa dans un baraquement vide. C'était la fin glorieuse de toute cette équipée ! Maintenant, nous étions sous les verrous, comme des contrebandiers pris sur le fait.

« Le lendemain matin, après une nuit sans sommeil, nous avons vu apparaître un important personnage venu tout exprès de la ville voisine pour nous interroger. Krog et Beese ont essayé de parlementer avec lui, mais il n'a rien voulu entendre. Nous ne parlions d'ailleurs pas la même langue, ce qui n'était pas fait pour faciliter les explications.

« "Tous contrebandiers ! Tous en prison !" répétait-il en ricanant.

« Beese a cherché à lui faire comprendre que nous avions entrepris cette longue excursion pour faire peur aux enfants.

« "Ah ! ah ! Peur aux enfants ! a-t-il dit en roulant des yeux furieux. Moi faire rapport au général !"

« Et il a disparu. Le général devait habiter au bout du monde, car nous avons dû attendre vingt-quatre heures avant de voir revenir notre homme. Il était accompagné cette fois d'un officier supérieur en grande tenue. Sans dire un mot, il écouta toutes nos explications, prit quelques notes sur un bout de papier, mais il s'en servit un peu plus tard pour allumer sa pipe. Puis il nous a quittés en disant : "Je vais télégraphier"

« À qui télégraphia-t-il ? Nous ne l'avons jamais su. Mais nous avons passé encore vingt-quatre heures à nous désespérer. Les femmes pleuraient. Tous maudissaient M. Drohne, le juge, et s'il ne s'était pas retranché derrière un tas de planches dans un coin de la baraque on lui aurait fait payer cher sa brillante idée.

« Enfin, nous avons vu arriver le général en personne. Beese passa deux bonnes heures à lui expliquer que nous n'étions ni des contrebandiers, ni des espions, ni des immigrants clandestins. Bref, il fallut deux jours et deux nuits pour faire comprendre à ces imbéciles que nous étions d'inoffensifs promeneurs, et que nous demandions seulement à retourner chez nous. On nous libéra, on nous reconduisit à la frontière. Nous avons traversé de nouveau la rivière, et alors a commencé la plus belle galopade que j'aie vue de ma vie. Nous tremblions de crainte pour nos enfants, et c'était à qui arriverait le premier à Timpelbach. Nous avons traversé la forêt de Reckling au pas gymnastique, et en moins de trois heures nous avons atteint la lisière. Timpelbach était au-dessous de nous, dans la vallée. Nous nous demandions ce que nos malheureux enfants...

— Arrêtez-vous, monsieur Kruger ! dis-je en riant. Ce que les enfants ont fait pendant votre absence, c'est *moi* qui le raconte. »

Et je lui montrai ce que j'avais déjà écrit.

59

« Voyez-vous, repris-je, j'en suis justement au début du chapitre 5 : "La foire commence !" »

Kruger contempla avec une admiration respectueuse les nombreux feuillets dactylographiés.

« Ça, c'est du travail ! reconnut-il. J'espère que vous me permettrez de lire votre histoire quand vous l'aurez terminée ?

— C'est entendu. Et mille fois merci pour votre récit.

— Pas de quoi ! dit-il en se levant. Continuez à écrire, je ne veux pas vous déranger. Il est d'ailleurs grand temps que je m'en aille. »

Il secoua sa pipe au-dessus de mon aquarium, puis il ramassa sa sacoche, porta deux doigts à son képi pour me saluer et il gagna la porte.

5

La foire commence !

Nous étions donc là, sur la place de Timpelbach, encore trop stupéfaits pour songer à réa-
gir.

Thomas retira l'affiche de sa poche, la déplia
pour la lire une seconde fois, puis il me la tendit
en me montrant une inscription tracée au
crayon dans le coin gauche. Je lus :

« *Bon débarras !* OSCAR. »

Furieusement, je déchirai l'affiche et en jetai les morceaux au vent. Ils volèrent joyeusement par-dessus la tête des nombreux enfants qui continuaient à nous regarder sans mot dire.

Finalement, Robert Lapointe, le maigre fils du gros avoué, prit la parole.

« Heureux les pauvres d'esprit ! déclara-t-il en haussant les épaules. Moi, je n'en crois pas un seul mot. Mon père a une audience ce matin même ! »

Un peu rassurés, les enfants se mirent à bavarder entre eux, chacun donnant son opinion.

« Je n'y crois pas non plus, dit Paulette, une malicieuse gamine de dix ans. Ma mère avait justement décidé de faire la grande lessive.

— Ils veulent seulement nous faire peur ! » cria un autre enfant.

Thomas agita les bras pour obtenir un peu de silence.

« Jusqu'à présent, nous ne pouvons rien dire ! répliqua-t-il. Nos parents ont bel et bien disparu. Il nous faut maintenant décider... »

Je l'interrompis en le tirant par la manche.

« Regarde un peu là-bas ! »

Et je lui montrai Oscar et ses deux lieutenants. Le chef des Pirates venait de monter sur le rebord de la fontaine, il s'y campait, jambes écartées. Le regard de Thomas s'assombrit.

« Ah ! ah ! murmura-t-il en serrant les poings. La bagarre commence ? »

Au même instant, Willy se mit à souffler dans une trompette d'enfant, tandis que Jean faisait claquer un pistolet à amorces.

« Pirates ! Rassemblement ! » hurla Oscar.

Avec des cris d'enthousiasme, près de la moitié des enfants se précipitèrent vers le chef des Pirates.

« Nos parents ont filé ? reprit Oscar. Bravo ! Bravo ! Bon débarras ! Ils se figurent peut-être qu'ils nous font peur ? Brr ! Regardez ! Je tremble de tout mon corps ! Mais c'est de plaisir ! Avez-vous lu cette stupide affiche ? C'est à se tordre, pas vrai ? Eh bien, je vous affirme, moi, que c'est la vérité ! Les parents ne mentent jamais, on le sait bien ! C'est très mal de mentir, ils nous le répètent toujours... »

Je dus reconnaître qu'Oscar était un fameux orateur. Mais en même temps, je compris qu'il méditait quelque mauvais coup.

« Ils sont partis pour toujours ! poursuivit-il

avec un grand rire. Nous sommes bien obligés de les croire sur parole, puisqu'ils ne mentent jamais... Donc, la ville nous appartient, pas vrai ? Plus personne pour nous empoisonner ! C'est la belle vie ! Nous pouvons faire maintenant tout ce que nous voulons...

— Ferme ton bec ! » hurla Thomas.

Quelques enfants se retournèrent vers nous. Mais Oscar se contenta de rire avec mépris.

« N'écoutez pas ces deux imbéciles ! glapit-il. S'ils vous conseillent d'être bien sages, c'est qu'ils veulent tout garder pour eux. Allons ! Approchez, messieurs et dames ! Le spectacle va commencer ! Vous verrez qu'Oscar fait bien les choses ! Donne-moi ce sac, Willy !... »

Willy lui apporta le sac qu'il avait déposé auprès de la fontaine. Oscar y plongea les mains et jeta devant lui tablettes de chocolat et paquets de bonbons. Quels cris d'allégresse ! Les enfants se précipitèrent sur toutes ces friandises. Ceux qui étaient restés de notre côté ne purent résister, et s'empressèrent de changer de camp. Bientôt, nous fûmes seuls, Thomas, Henri et moi.

Là-bas, Oscar poursuivait la distribution.

« Approchez, messieurs et dames ! rugissait-il. Aujourd'hui, tout est pour rien ! Approchez ! Tout vous appartient !...

— Voleur », gronda Thomas.

Mais nous étions réduits à l'impuissance. Les enfants étaient trop occupés à se remplir la bouche et les poches pour songer encore à nous. D'ailleurs, Oscar savait exploiter sa victoire, et ne laissait pas à l'enthousiasme le temps de refroidir.

« Ce n'était qu'un échantillon ! reprenait-il. Maintenant, nous allons chercher autre chose... voulez-vous des poupées, des soldats de plomb, des ballons, des trains, des fusils à air comprimé, des bicyclettes ? Suivez-moi !

— Voleur ! cria Thomas, hors de lui. Ne le suivez pas ! »

Il voulut s'élancer vers Oscar, mais, avec l'aide d'Henri, je parvins à le retenir.

Le chef des Pirates s'était retourné. Il brandit le poing dans notre direction.

« Flanquons une bonne raclée à ces froussards ! » ordonna-t-il.

Tout aussitôt, les enfants adoptèrent une attitude menaçante. On nous insulta, quelques pierres sifflèrent à nos oreilles. Henri avait pâli, mais je vis à ses yeux étincelants qu'il n'avait pas peur. Thomas, lui, était rouge de colère. En hâte, je cherchai une arme du regard, mais le perron de l'hôtel de ville était nu comme la main. Déjà, quelques enfants se ruaient vers nous.

« Je crois qu'il vaudrait mieux abandonner le terrain ! » dis-je tranquillement, bien que mon cœur battît à se rompre.

Trop tard. Nous étions pris au piège. Les assaillants s'élançaient déjà sur les marches. Thomas bouscula le premier d'entre eux, puis il se retourna d'un bond et tourna la poignée de la grande porte. Miracle ! elle s'ouvrit. Nous parvînmes à nous glisser à l'intérieur, non sans avoir reçu quelques coups, et nous repoussâmes à grand-peine le lourd battant. La clef était dans la serrure, Thomas la tourna en hâte. Sauvés !

Nous reprîmes péniblement notre souffle dans le grand couloir obscur, tandis que nos agresseurs essayaient en vain d'enfoncer le lourd portail. Puis soudain ce fut le silence. Je m'approchai d'une étroite fenêtre garnie de petites vitres multicolores, et je vis les enfants s'éloigner derrière Oscar qui brandissait le sac vide comme un étendard. Ils s'engagèrent dans la Grand-Rue où se trouvent la plupart des magasins de la ville.

« Dieu soit loué ! Ils nous ont oubliés ! murmura Henri auprès de moi.

— Oui, dis-je. Nous avons eu de la chance. Mais ça a failli mal tourner. »

Thomas eut un rire un peu contraint.

« Si la porte n'avait pas été ouverte, je crois que nous aurions pu numéroter nos abattis ! » fit-il remarquer.

Nous entendîmes un lointain hurlement de triomphe.

« Ça y est ! dis-je. Ils doivent commencer à piller les boutiques.

— Oscar le Rouge leur a tourné la tête, gronda Thomas. Mais ce n'est vraiment pas très malin, de la part des parents, d'avoir monté toute cette comédie.

— Une comédie ? Tu ne crois donc pas ce que dit l'affiche ? »

Nous nous étions assis sur un banc, dans le hall, pour nous remettre de nos émotions.

« Je n'en crois pas un mot, répondit Thomas

en haussant les épaules. C'est simplement du bluff.

— Et si nos parents ne revenaient pas ?

— Je te prierai de ne pas dire de bêtises, grommela Thomas. Je suis persuadé que nos parents ont pris le train pour Kollersheim, ou qu'ils sont allés faire un tour dans la forêt de Reckling. Ils reviendront ce soir, en s'imaginant que nous ramperons devant eux pour implorer leur pardon. Mais pour que la leçon porte ses fruits, ils ont voulu nous faire croire qu'ils ne reviendraient jamais. C'est pour cette raison qu'ils ont laissé l'affiche. Sinon, à quoi bon ? Pourtant il y a un petit détail qui n'était pas prévu au programme : les enfants vont ravager toute la ville ; ensuite il leur sera facile de se justifier en prétendant qu'ils ont cru la proclamation. Les parents ne mentent jamais ! comme l'a dit Oscar. Avec leur ruse de guerre, nos chers parents sont tombés dans leur propre piège.

— Et s'ils avaient dit la vérité ? demanda timidement Henri.

— Tu dérailles, voyons ! Réfléchis un peu. Ils ont laissé ici toutes leurs affaires !

— Ton raisonnement tient debout, dis-je

avec une lenteur étudiée. Mais quelle tête ferais-tu si je t'apprenais que le service des eaux ne fonctionne plus ? »

Thomas sauta sur ses pieds.

« Il n'y a plus d'eau ?

— Pas une goutte », répondis-je avec un doux sourire.

Thomas resta quelques instants silencieux. Puis il traversa le hall pour aller tourner un commutateur. Pas de lumière.

« C'était pendant l'horreur d'une profonde nuit ! cita-t-il simplement.

— Quoi ? fit Henri en sursautant. Il n'y a pas de courant ?

— Peut-être n'est-il coupé que dans l'hôtel de ville ? suggérai-je.

— Allons vérifier ça ! »

Nous descendîmes à la cave pour chercher l'interrupteur principal. Il faisait très frais sous les vieilles voûtes, et l'on n'y voyait pas à dix centimètres. Par chance, j'avais sur moi ma lampe de poche, ce qui nous permit de découvrir le coffret des interrupteurs. J'enclenchai celui qui était marqué « Cave », tandis que Thomas allait tourner un commutateur. Pas de courant. Pour plus de certitude, je vérifiai les fusibles : ils étaient intacts.

« L'usine électrique est arrêtée, constatai-je.

— Comme c'est malin ! soupira Thomas. Ce soir, toute la ville sera dans l'obscurité !

— Alors ? Es-tu toujours persuadé qu'ils vont revenir ? » lui demandai-je en braquant le faisceau de ma lampe sur son visage.

Thomas plissa les yeux, puis soudain il se frappa le front.

« Que nous sommes bêtes ! s'écria-t-il. Cela fait évidemment partie de leur mise en scène. Ils veulent nous démontrer qu'ils sont indispensables et que nous ne pouvons rien faire sans eux. Mais je parie que, demain matin, tout fonctionnera de nouveau. En attendant, il importe de leur prouver que nous ne sommes pas des petits bébés qui se mettent à crier "maman !" dès que leurs parents s'éloignent. Veillons d'abord que la ville ne soit pas mise sens dessus dessous.

— Ça commence plutôt bien ! »

Thomas ne releva pas mon ironie.

« Nous discuterons des moyens à employer,

dit-il simplement. Pour l'instant, allons voir ce que sont en train de faire ces idiots. »

Nous remontâmes dans le hall. Henri s'apprêtait à ouvrir la porte lorsque Thomas l'en empêcha.

« Attention ! Ils ont peut-être placé des sentinelles. Passons plutôt par-derrière. »

Nous trouvâmes une sortie dérobée, sur l'arrière de l'hôtel de ville. Thomas tira le verrou, mit le nez dehors et, lorsqu'il eut constaté que la voie était libre, nous nous engageâmes dans la rue déserte. De très loin venait la rumeur confuse des enfants.

« Ils doivent être encore dans la Grand-Rue, dis-je.

— Montons au sommet de la tour de garde, proposa Henri. De là-haut, nous pourrons les observer. »

La tour de garde s'élève au-dessus de la vieille porte de la ville, à l'extrémité de la rue des Moines, et l'on accède à son sommet par un petit escalier en colimaçon. De ce poste d'observation, on domine le marché aux Chèvres et la plupart des rues avoisinantes.

« Attendez une seconde ! dis-je. Je vais chercher ma longue-vue. »

Je filai vers ma maison, y pénétrai par la porte de derrière, et, quelques instants plus tard, j'étais de retour avec ma lorgnette.

À toute allure, nous descendîmes alors la rue des Moines, mais peu avant d'arriver à la tour nous aperçûmes Marianne qui sortait de chez elle.

6

Un intermède chez le dentiste

« Hé là ! nous dit-elle en riant. Où courez-vous si vite ? »

Marianne est la fille du chirurgien-dentiste, M. Loose. C'est une blondinette de onze ans, au nez retroussé, aux grands yeux bleus. Elle a déjà décidé qu'elle serait plus tard médecin, et doit partir l'année prochaine pour le lycée de Kollersheim afin d'y poursuivre ses études. Je la connais depuis longtemps, car son père est le meilleur ami du mien. Souvent, nous parlons de ses projets d'avenir.

« Tu veux donc ouvrir le ventre des gens ? lui ai-je demandé une fois en plaisantant.

— Imbécile ! a-t-elle répliqué. Je compte me spécialiser dans les maladies nerveuses.

— Ah ! ah ! Tu soigneras les fous en leur jetant de grands seaux d'eau ?

— Parfaitement ! Et je commencerai par toi ! »

Comme elle ne connaissait Thomas que de vue, je fis les présentations.

« Tiens ! tiens ! dit-elle. C'est donc vous, ce fameux Thomas dont on raconte tant de merveilles ! »

Thomas rougit jusqu'aux cheveux. Il est en effet un peu timide en présence des filles.

« On exagère beaucoup ! protesta-t-il.

— Il a pourtant l'air tout à fait normal ! reprit Marianne en se tournant vers moi. Mais à propos, où couriez-vous comme ça ? »

On entendait toujours, au loin, la rumeur des enfants déchaînés.

« Quoi ! m'exclamai-je. D'où sors-tu ? Ne sais-tu pas ce qui se passe ? Nos parents ont disparu sans laisser de traces, et l'école est fermée ! »

Marianne me contempla en hochant la tête avec commisération.

« Mon pauvre Manfred ! soupira-t-elle. C'est aujourd'hui un jour férié, et nos parents font la grasse matinée. Voilà l'explication.

— Je ne suis pas fou ! répliquai-je vivement. Ce n'est pas un jour férié, et tous les parents ont quitté la ville. »

Là-dessus, je lui racontai rapidement les événements de la veille au soir et de la matinée. Cette fois, Marianne parut stupéfaite.

« C'est tout de même un peu fort ! s'écria-t-elle, quand mes parents reviendront, je leur réserve une belle réception !

— Nous allions monter sur la tour de guet, lui dit Thomas. Venez-vous avec nous ? »

Marianne ne demanda pas mieux que de nous suivre. Une fois arrivés à la vieille porte, nous nous glissâmes dans la petite entrée latérale pour grimper quatre à quatre jusqu'au sommet de la tour. Dès que nous fûmes sur la plate-forme, nous entendîmes le vacarme infernal qui montait de la ville, et nous nous précipitâmes vers le parapet. Quel spectacle !

Le marché aux Chèvres et la Grand-Rue fourmillaient d'enfants. On eût dit une armée de nains devenus subitement fous. Munis de trompettes, de sifflets, de crécelles, de tambours, ils faisaient un affreux tintamarre. On tirait des coups de pistolet. Des flèches volaient dans les airs, des pétards claquaient dans tous les coins. Sur la place, une horde d'Indiens dansait la danse du scalp autour de la fontaine Saint-Matthieu qui servait de poteau de tortures, et sur laquelle on avait ligoté Robert Lapointe. Plus loin, on jouait au football ou au tennis. On avait même installé une table de ping-pong au milieu de la chaussée. On voyait circuler des enfants sur de magnifiques vélos ou dans des autos à pédales. Des filles poussaient devant elles des voitures de poupée, des garçons jouaient avec des trains mécaniques. Et sans cesse, de nouveaux groupes d'enfants, aux bras chargés de jouets, débouchaient sur la place. On se serait cru en plein carnaval !

« C'est de la folie ! » m'écriai-je.

Thomas restait silencieux, les dents serrées.

Henri, lui, avait l'air complètement décontenancé et hochait tristement la tête.

« Oui, c'est de la folie ! » répéta-t-il.

Une bande d'enfants sortait d'un magasin de jouets, emportant poupées, ours en peluche, avions, panoplies de cow-boys, fusils à fléchettes et trains. Un autre groupe finissait de piller le magasin de cycles. Oscar, Willy et Jean avaient traîné dehors une puissante motocyclette qu'ils essayaient en vain de mettre en marche. Dans la confiserie, les enfants étaient pressés comme des harengs ; grâce à ma longue-vue, je pus même distinguer le gros Paul, debout sur le comptoir, qui distribuait les friandises à poignée.

Même spectacle dans la pâtisserie. La librairie Diepental était dans un triste état, avec les rayons dévastés et les magazines qui gisaient sur le sol. Notre ville, auparavant si coquette, donnait l'impression d'avoir été ravagée par une bande de brigands.

« Ah ! soupira Thomas. Si nos parents avaient pu imaginer ça !... »

Marianne s'indigna.

« Ils sont fous ! Quand les parents reviendront, il y aura du grabuge, c'est certain !

— Ces idiots n'y songent même pas, répondit Thomas. Ils suivent Oscar. Pour l'instant, la ville leur appartient ; ils se moquent pas mal de ce qui arrivera ensuite.

— Il faudrait les arrêter avant qu'il soit trop tard !

— Inutile ! dis-je. Ils sont furieux contre nous parce que nous avons refusé de marcher avec eux. Nous ne ramasserions que des mauvais coups. Le mieux, c'est de ne pas nous montrer pour l'instant et d'attendre qu'ils se calment.

— Mais nous n'allons pas rester ici toute la journée !

— Il ne serait pas prudent de rentrer chez nous, expliqua Henri à Marianne. Ils risqueraient de venir nous y attaquer.

— Eh bien, venez chez moi ! répliqua-t-elle. On n'aura pas l'idée de vous y chercher. »

Nous acceptâmes immédiatement sa proposition, d'autant plus volontiers même que Marianne promit de nous donner quelque chose à manger. Nous commencions en effet à être tourmentés par la faim.

Nous descendîmes dans la rue et, en rasant les murs, nous remontâmes la rue des Moines jusqu'à la maison de notre amie.

« Catastrophe ! s'écria soudain Marianne. J'ai tiré la porte derrière moi, et j'ai oublié de prendre ma clef !

— Qu'à cela ne tienne, répliquai-je. Vous allez voir mes talents... »

Je dénichai un bout de fil de fer, le recourbai et le glissai dans le trou de la serrure. À la troisième tentative la porte s'ouvrit.

« Bravo ! me dit Thomas. Je te nomme le roi des cambrioleurs ! »

Nous pénétrâmes dans la maison. Marianne nous invita à prendre place dans la grande salle de séjour pendant qu'elle passait à la cuisine pour y préparer des tartines de beurre et de confiture. Au moment où elle revenait, chargée d'un plateau, on sonna à la porte d'entrée.

Nous échangeâmes un regard inquiet.

« Qui est-ce ? murmurai-je.

— Le facteur ? suggéra Marianne.

— Impossible. Kruger est parti avec les autres. À mon avis, c'est un piège... »

Thomas posa un doigt sur ses lèvres, puis il se glissa dans le couloir pour aller jeter un coup d'œil par le judas.

« C'est Charles Benz, annonça-t-il en revenant vers nous. On dirait qu'il pleure !

— Restez ici, dit Marianne. Je vais lui ouvrir. »

Elle alla entrebâiller la porte, sans retirer la chaîne de sûreté. Soudain nous entendîmes la voix larmoyante de Charles Benz.

« J'ai mal aux dents ! J'ai terriblement mal aux dents !... »

Thomas fit un bond jusqu'à la fenêtre. Après avoir constaté que la rue était déserte, il cria à Marianne :

« On peut le laisser entrer ! Il est seul ! »

Charles Benz ne parut pas très étonné de nous retrouver là, car il ne se souciait que de son mal de dents. Il recommença à gémir en se tenant la joue quand Marianne lui eut annoncé que son père avait disparu comme les autres parents.

« Entre ici, lui dit-elle alors. Je vais voir si je peux faire quelque chose pour toi. »

Et elle l'introduisit dans le cabinet dentaire. Nous les suivîmes.

« Assieds-toi là ! » ordonna-t-elle au patient en lui montrant le redoutable fauteuil.

Mais Charles Benz ne paraissait nullement disposé à obéir. Il recula d'un pas, se mit à rouler des yeux effarés.

« Je crois que je n'ai plus mal !... dit-il d'une voix blanche.

— Assieds-toi, poltron ! » lui cria Thomas.

Et comme Charles s'y refusait encore, il l'empoigna sans ménagement pour l'installer de force dans le fauteuil.

« Je n'ai plus mal ! glapit l'infortuné.

— On connaît la musique », répliqua tranquillement Marianne.

Elle enfila rapidement une blouse blanche, puis s'approcha, un petit miroir à la main.

« Allons ! Ouvre la bouche ! »

Charles ouvrit la bouche pour crier, mais Marianne en profita pour y introduire le miroir et examiner les dents. Nous nous pressions autour d'elle pour regarder.

« C'est bien ce que je pensais, dit-elle enfin

d'un air entendu. Cette molaire est cariée. Vous la voyez, là ?...

— On l'arrache ? » demanda tranquillement Thomas.

Charles Benz se mit à se débattre comme un beau diable, tout en gloussant des paroles incompréhensibles. Nous dûmes le maintenir sur le fauteuil.

« Oui, il vaudrait mieux l'extraire, constata Marianne. Mais je n'en aurai pas la force.

— Oh ! je peux m'en charger, proposa Thomas en nous faisant un clin d'œil.

— Au secours ! parvint à hurler le patient.

— Du calme ! lui ordonna Thomas. C'est au médecin de décider. »

Marianne examina de nouveau la dent, puis au bout de quelques secondes elle se redressa.

« Il n'est peut-être pas nécessaire de l'extraire, dit-elle. Je vais voir si je peux la soigner. »

Elle alla fouiller parmi les instruments de son père où elle choisit une mince tige terminée par un crochet. Lorsqu'elle la planta dans la dent malade, Charles Benz fit un saut de carpe.

Marianne retira l'instrument et nous fit voir une petite masse brunâtre fixée à son extrémité.

« Chocolat ! » dit-elle simplement.

Nous éclatâmes de rire. Marianne lava la dent avec une petite poire, puis elle la nettoya soigneusement et la bourra avec un morceau de coton.

« Voilà ! c'est terminé », dit-elle en donnant une petite tape sur la joue de Charles.

Nous libérâmes le patient. Il se redressa lentement, le visage mouillé de transpiration. Soudain ses yeux s'arrondirent de surprise.

« Fameux ! s'écria-t-il. Je n'ai plus mal !

— Ah ! Tu vois ? fit négligemment Marianne.

— Maintenant, tu peux filer », lui dit Thomas.

Marianne enleva sa blouse, rangea les instruments, puis nous passâmes tous dans le couloir. Charles Benz alla jusqu'à la porte d'entrée, mais il hésita à sortir, se retourna à demi vers nous.

« Je ne pourrais pas rester ? demanda-t-il timidement.

— Pourquoi ? demandai-je.

— Parce que je ne marche plus avec les autres. Ils sont fous, ça finira mal... Oscar les pousse à faire les pires bêtises pour n'être pas le seul responsable quand il faudra rendre des comptes...

— Ah ! ah ! fit railleusement Thomas. Monsieur commence à avoir des remords ?

— Nous as-tu lancé des pierres ? demanda Henri.

— Je vous jure que non ! Permettez-moi de rester avec vous ! »

Marianne intervint alors en sa faveur.

« Après tout, dit-elle, ce n'est pas un méchant garçon. Il pourrait nous être utile...

— Bon ! fit Thomas. Tu peux rester. Mais tu vas nous prouver tout d'abord que tu es sincère. Cours jusqu'au marché aux Chèvres pour observer ce que font les autres. Après quoi, tu viendras me faire ton rapport.

— Entendu ! » cria Charles, tout joyeux, en s'élançant dans la rue.

7

Thomas joue au chef de gare

Notre nouveau compagnon ne revint qu'à la fin de l'après-midi. Par la fenêtre, je le vis tourner au coin du marché aux Chèvres et s'engager dans la rue des Moines. Mais il n'était pas seul : Robert Lapointe, Rosette Traub et le gros Paul couraient derrière lui, en se retournant fréquemment comme s'ils craignaient d'être poursuivis. Je me hâtai d'avertir Thomas.

« Ils commencent peut-être à en avoir assez », me répondit-il.

Aussitôt après on sonna. Marianne alla ouvrir, et Charles Benz fit irruption dans le couloir.

« Paul, Robert et Rosette sont dehors ! nous annonça-t-il.

— Que viennent-ils faire ici ?

— Ils refusent de marcher plus longtemps avec les autres.

— Entrez ! » cria Thomas.

Derrière Marianne, tous trois pénétrèrent dans la pièce. Le gros Paul prenait des airs de pêcheur repentant ; Robert Lapointe se grattait la tête avec embarras ; quant à Rosette, elle avait les larmes aux yeux.

« Mes petits frères ont faim ! nous dit-elle.

— N'y a-t-il donc rien à manger chez vous ? demandai-je.

— Non, plus rien. Maman devait faire les courses ce matin... »

Marianne la rassura en lui promettant de lui donner des vivres, et elle passa dans la cuisine.

« Où donc es-tu resté si longtemps ? demanda Thomas à Charles, sur un ton sévère.

— Je les ai suivis pour les espionner, répondit l'autre. Ils sont complètement déchaînés... Oscar et sa bande se sont installés au café du

Commerce, ils jouent au billard et boivent de la limonade... D'autres sont au Lion-d'Or, ils jouent aux quilles ou aux cartes...

— Jusque-là, ce n'est pas bien grave », fis-je remarquer.

À son tour, Rosette prit la parole :

« Des filles sont entrées dans le magasin de nouveautés... Elles essaient les robes et les chapeaux...

— Ah ! les femmes ! soupira Thomas.

— Le marché aux Chèvres ressemble à un champ de bataille, reprit Charles. Il est couvert de jouets, de livres déchirés...

— ... Et devant le bureau de tabac, intervint Robert Lapointe, il y a une bande de gamins qui fument des cigarettes. Oscar a même fumé un cigare !

— ... Et ça lui a donné mal au cœur ! » compléta Charles avec une joie vengeresse.

À ce moment-là, Marianne revint avec un panier empli de provisions. Elle le remit à Rosette qui la remercia et se dirigea vers la porte.

« Elle ne peut pas sortir seule ! déclara

Thomas. On risquerait de tout lui voler en cours de route.

— Puis-je l'accompagner ? proposa le gros Paul en louchant sur le panier.

— Il vaut mieux que nous y allions tous ensemble », dit Thomas.

Cette fois, Marianne prit la précaution de se munir de sa clef, puis nous passâmes dans la rue.

Tout était calme. Le vacarme des enfants avait grandement diminué, au loin. La plupart d'entre eux devaient certainement commencer à sentir la fatigue de cette folle journée. Nous fîmes un détour pour éviter le marché aux Chèvres, et, après avoir suivi plusieurs ruelles, nous débouchâmes dans la rue de Kollersheim qui devait nous mener jusqu'à la place de la gare.

En cours de route, nous aperçûmes Bernard Rabe et sa sœur Gertrude, tristement assis sur le seuil de leur maison. Dès qu'ils nous virent, ils se précipitèrent vers nous.

« Thomas ! cria Bernard. Je suis si content de te retrouver !...

— Tiens ! tiens ! fit railleusement Thomas. Qu'est-ce qui ne va plus ?

— La porte est fermée ! Nous ne savons où aller.

— Vous pourrez toujours aller dormir dans la boutique du marchand de meubles ! »

Et Thomas voulut passer devant eux. Mais Bernard le retint par la manche.

« Il faut nous pardonner ! supplia-t-il. Nous ne voulons plus rester avec les autres, permets-nous d'aller avec vous ! »

Thomas se laissa attendrir, et, tous ensemble, nous remontâmes la longue rue. Nos deux nouveaux compagnons nous apprirent que de nombreux enfants regrettaient déjà les bêtises qu'ils avaient commises, mais que, dans la crainte d'Oscar, ils n'osaient trop le dire à haute voix. Beaucoup d'entre eux, qui s'étaient gavés de bonbons et de chocolat, avaient été malades. N'ayant pas trouvé d'eau pour se désaltérer, ils avaient bu de la limonade ou de la bière au café du Commerce, ce qui ne les avait nullement remis d'aplomb, bien au contraire.

Tout en bavardant, nous avions traversé la place de la gare et obliqué dans la rue où habitait Rosette. Ses petits frères, qui jouaient dans le jardin, poussèrent des cris de joie en nous apercevant.

Rosette et Marianne entrèrent dans la maison pour faire dîner les enfants et les mettre au lit. En les attendant, nous nous assîmes sur le petit mur qui bordait le jardin. Nous commencions à être fatigués, et nous restâmes là un bon moment, sans échanger un mot. Le silence complet qui pesait sur ce quartier de la ville nous inspirait un vague malaise. Soudain Thomas sauta sur ses pieds.

« J'ai une idée ! annonça-t-il. Quelle heure est-il ? »

Je jetai un coup d'œil à ma montre.

« Il est exactement sept heures moins le quart.

— Eh bien, écoutez ! dit Thomas. Nous sommes à deux pas de la gare. Le train qui vient de Kollersheim passe à sept heures. Nous allons voir si les parents sont dedans. Si oui, Robert filera comme un zèbre jusqu'au marché aux Chèvres pour avertir les enfants qui tâcheront de réparer un peu les dégâts. Nous retiendrons les parents le plus longtemps possible. »

Nous approuvâmes son idée. Quelques minutes plus tard, quand Marianne et Rosette nous eurent rejoints, nous nous dirigeâmes vers la gare en suivant les rails du tramway.

Car il faut vous dire que Timpelbach possède même un tramway, le n° 1. Il n'y a pas d'autre numéro. La petite motrice et sa remorque desservent une seule ligne, avec onze arrêts, qui part de la gare, suit la rue de Kollersheim dans toute sa longueur, puis remonte la Grand-Rue jusqu'au coin du marché aux Chèvres. Bien que l'exploitation soit déficitaire depuis plusieurs années, la municipalité n'a pas le cœur de condamner au chômage le conducteur et le receveur. D'ailleurs, les habitants de la ville, en particulier les enfants, sont très fiers de ce beau petit tram peint en rouge vif. Chaque fois que je l'utilise, je me place à côté du wattman pour observer attentivement la manœuvre. Ce jour-là, bien sûr, le tramway ne circulait pas et était rangé dans son dépôt, face à la gare.

Nous étions encore sur la place quand nous entendîmes le train arriver. Aussitôt, nous nous précipitâmes vers le petit bâtiment désert, mais, redoutant un peu le premier contact avec nos parents, nous restâmes prudemment dans la salle d'attente, tandis que Thomas jetait un coup d'œil dehors.

Puis il se retourna vers nous.

« Ils n'y sont pas ! »

Nous passâmes alors sur le quai. Le contrôleur, debout auprès de la locomotive, bavardait avec le mécanicien. Sans doute attendait-il que le chef de gare de Timpelbach donnât le signal du départ. Quelques voyageurs se penchaient aux portières. Personne n'était descendu.

En nous apercevant, le contrôleur nous fit signe d'approcher.

« Et alors, quoi ? grommela-t-il. Où est donc le chef de gare ?

— Il est dans son bureau, mais il ne peut pas sortir pour l'instant, répondit Thomas. Il m'a chargé de vous dire que vous pouviez repartir.

— Quoi ? quoi ? quoi ? fit le gros contrôleur, tout surpris. Il ne peut pas sortir de son bureau ? Qu'est-ce qu'il a donc ? »

Thomas n'hésita pas une fraction de seconde.

« Il a très mal à la tête.

— Très mal à la tête ! »

Le contrôleur resta tout d'abord interdit, puis il éclata de rire.

« Mal à la tête ! répéta-t-il encore en se tapotant le front du bout des doigts. Ma parole ! il doit travailler trop, ce pauvre M. Werner ! Mettez-lui des compresses ! »

Le mécanicien lui aussi riait de bon cœur tant la chose lui semblait drôle. Intrigués, les voyageurs apparaissaient plus nombreux aux portières.

Enfin, le contrôleur donna un coup de sifflet. La locomotive cracha des jets de vapeur, le train se remit lentement en mouvement. Le contrôleur sauta sur le marchepied du dernier wagon et nous fit des signes d'adieu. Nous le vîmes s'éloigner, toujours secoué par un rire énorme qui faisait tressauter sa bedaine. Le train passa sur le pont qui franchit la petite rivière, puis il disparut à nos yeux.

« Les parents ne sont pas revenus ! constata tristement Rosette.

— C'est qu'ils ont dû aller dans la forêt de Reckling, déclara Thomas. Je suis persuadé qu'ils rentreront ce soir.

— Pourquoi as-tu dit au contrôleur que le

chef de gare avait mal à la tête ? » demandai-je à Thomas.

Il parut embarrassé.

« Je ne pouvais tout de même pas avouer que nos parents avaient filé !

— Et pourquoi pas ?

— Parce que ça ne les regardait pas, ces étrangers ! Réglons nos affaires nous-mêmes. D'ailleurs ils auraient cru que je mentais.

— Mais tu as quand même menti ! lui fit remarquer Marianne en riant.

— C'est tout différent ! J'ai menti pour sauver notre honneur. J'ai fait ce que l'on appelle un pieux mensonge. Ce n'est pas interdit.

— A-t-on aussi le droit de faire un pieux mensonge quand on sèche l'école ? demanda le gros Paul avec intérêt.

— Non, dis-je. Il n'y a pas d'honneur à cela. »

Maintenant nous restions tous en rond sur le quai, ne sachant plus trop quoi faire, sans nous décider à nous éloigner. De nouveau, l'inquiétude se glissait en nous. La nuit allait bientôt venir, et nous n'étions pas très rassurés à l'idée que notre ville serait plongée dans les ténèbres.

Nos parents rentreraient-ils dans la soirée, comme l'affirmait Thomas ? Au fond de nous-mêmes, nous commencions à en douter.

Soudain, Robert nous fit sursauter.

« Qu'est-ce qu'il y a là-bas ? » cria-t-il.

Nous nous retournâmes et vîmes, à l'autre extrémité du quai, une rangée de gros bidons de fer-blanc. C'était le lait pour la ville, que déposait chaque soir le train de Kollersheim. Nous allâmes les examiner, et je comptai une vingtaine de bidons qui, tous, sonnaient plein.

Le gros Paul, qui mourait de soif, s'apprêtait déjà à faire sauter un couvercle lorsque Thomas l'arrêta d'un geste.

« Pas encore ! lui dit-il. Il nous faut tout d'abord emporter ces bidons. Ils ne peuvent rester toute la nuit ici. Mais comment faire ? »

8

Un fiacre sans cheval

Nous décidâmes de mettre le lait à l'abri dans la chambre froide de la laiterie Muller. Mais comment le transporter jusqu'au marché aux Chèvres ? Après une interminable discussion, Charles Benz finit par proposer d'utiliser l'unique fiacre de la ville qui appartient à un brave homme nommé Pfauser. Nous nous rendîmes immédiatement dans la rue de la Gare. C'est là qu'habite le cocher, dans une petite maison derrière laquelle se trouve l'écurie. La porte était close, et nous dûmes frapper à plusieurs reprises avant d'entendre une voix anxieuse demander : « Qui est là ? »

C'était la voix de Max, le fils aîné du cocher.

« C'est moi ! répondit Thomas.

— Mais qui est-ce, "moi" ?

— Thomas. Ouvre-nous la porte. »

Il y eut des chuchotements, puis Max demanda :

« Que viens-tu faire ici ?

— Vas-tu te décider à ouvrir ? cria Thomas. Nous avons besoin de ton fiacre pour emporter le lait.

— Nous n'avons pas de lait ! »

Max finit cependant par entrouvrir la porte. Thomas glissa son pied dans l'entrebâillement, donna un coup d'épaule au battant, et nous pénétrâmes tous dans le couloir. Max recula, se plaça devant ses deux frères comme pour les protéger.

« Nous n'allons pas vous manger ! leur dis-je en riant. Mais il nous faut votre fiacre. Sais-tu atteler le cheval ? »

Max parut soulagé en constatant que nous n'avions pas d'intentions hostiles.

« Jeannot est malade, répondit-il.

— Qui est Jeannot ?

— Notre cheval.

— Et qu'a-t-il donc ? demanda Marianne avec intérêt.

— Il tousse.

— Mène-nous à l'écurie », lui dit Thomas.

À la suite de Max, nous traversâmes la cour et entrâmes dans l'écurie. À droite se trouvait le fiacre, une vieille calèche découverte ; à gauche, le cheval devant sa mangeoire. Nous l'examinâmes. Le vieux cheval restait tête basse, sans manger, de temps à autre il toussait. Marianne lui tapota l'encolure tout en disant gentiment :

« Ne t'en fais pas, ça va s'arranger !

— Il a peut-être mal à la gorge ? suggéra Charles.

— J'ai l'impression qu'il a chaud, dit à son tour Thomas qui avait posé la main sur la croupe du cheval.

— Ce n'est pas grave, assura Max. Il est souvent malade. Papa le laisse à l'écurie, il se guérit tout seul.

— On devrait lui mettre une couverture autour du cou ! » proposa Rosette apitoyée.

Max nous apporta une couverture que nous fixâmes sur l'encolure du cheval à l'aide de deux épingles à nourrice.

« Voilà ! dit Thomas. Bientôt, ça ira mieux.

— Mais qu'allons-nous faire du lait ? demanda le gros Paul. Puisqu'il est impossible d'atteler ce cheval malade...

— Tirons nous-mêmes le fiacre ! »

Tous acceptèrent de bon cœur, à l'exception du gros Paul qui fit la grimace.

« Je ne suis tout de même pas un cheval de fiacre ! grommela-t-il.

— Non, mais tu seras bien content de boire du lait demain matin ! » lui répliqua Thomas en riant.

Là-dessus, nous tirâmes le fiacre hors de la remise, et lui fîmes traverser la place pour aller le ranger le long de la rampe de chargement. Ce ne fut pas un travail facile que d'y caser les énormes bidons.

L'un d'eux nous échappa même et s'écrasa sur le pavé. Nous en plaçâmes quatre sur le siège du cocher, une douzaine sur le plancher de la voiture et les banquettes. Les trois derniers durent être abandonnés sur le quai.

Quand tout fut terminé, Thomas nous assigna nos places, selon notre force, entre les brancards ou à l'arrière du véhicule. Puis, au dernier moment, il décida que l'un de nous s'installerait sur le siège pour actionner le frein dans les descentes. À grands cris, tous demandèrent à occuper cette place de choix. Thomas mit fin à la discussion en l'attribuant à Marianne qui, rougissante de plaisir, se jucha sur les bidons, empoigna le fouet et le fit claquer au-dessus de nos têtes.

« Hue, cocotte ! » cria-t-elle.

Le soleil s'était couché, l'ombre envahissait déjà les rues. Tout d'abord, le fiacre roula rapidement dans la rue de Kollersheim qui est en pente, et Marianne dut même à plusieurs reprises serrer le frein. Chemin faisant, nous rencontrâmes de petits groupes d'enfants qui rentraient chez eux en rasant les murs. En apercevant notre étrange cortège, ils ouvraient de grands yeux, mais quand nous leur criions de venir nous aider ils s'esquivaient en toute hâte, craignant sans doute que nous ne songions à tirer vengeance de leur agression sur le marché aux Chèvres.

Bientôt, la rue commença à monter. Nous redoublâmes d'efforts jusqu'au moment où il nous fut impossible d'aller plus loin. Marianne descendit de son siège pour nous donner un coup de main, mais sans résultat. La voiture se refusait obstinément à avancer. Par chance, nous vîmes apparaître, au coin de la rue, Louis Keller, le fils du sacristain, et Ernest Werner, le fils du chef de gare. Tous deux nous regardèrent avec ébahissement.

« Ne restez pas plantés là comme des statues ! leur cria furieusement Thomas. Venez nous aider ! »

Ils accoururent, mais le fiacre ne bougea toujours pas d'un pouce. Enfin, nous eûmes le renfort de Fred Schluter et de sa sœur Erna qui nous avaient vus par leur fenêtre. Ils pesèrent de toutes leurs forces sur les rayons des roues, et la voiture recommença à avancer par à-coups. Après beaucoup de « Ho ! Hisse ! » nous atteignîmes le sommet de la montée.

Nous étions si épuisés que nous dûmes nous asseoir, pour souffler, sur les marchepieds du fiacre ou sur le bord du trottoir. Il faisait une chaleur accablante. De lourdes nuées d'orage montaient au ciel. Bientôt, nous entendîmes le grondement lointain du tonnerre.

« Allons ! En route ! criai-je. Nous allons recevoir la douche ! »

Nous reprîmes rapidement nos places. À partir de cet endroit, la rue de Kollersheim descend jusqu'à la Grand-Rue, puis il y a de nouveau une petite montée avant d'arriver au marché aux Chèvres. Tout alla désormais à une allure record, et bientôt nous débouchions sur la place. Elle était déserte. L'ombre était déjà devenue si épaisse que nous distinguions à peine les contours des maisons sur le ciel noir. Le sol était couvert de jouets abandonnés par les enfants. Nous traversâmes ce champ de bataille pour amener le fiacre devant la laiterie Muller.

Thomas lâcha le brancard, puis, montrant d'un geste la vaste place :

« Il nous faudra ramasser tout ça ! dit-il.

— Ah ! non ! protesta Henri. Laissons-les réparer eux-mêmes leurs dégâts !

— Comment veux-tu les y obliger ? Nous réglerons nos comptes plus tard, mais il ne faut pas que les parents voient un tel spectacle. La honte en retomberait même sur nous. »

Je l'approuvai, ainsi que Marianne.

« Moi, dit-elle, je n'ai pas envie d'être expédiée en maison de correction ! »

Les autres enfants restèrent silencieux, mais je devinais qu'ils étaient prêts à n'importe quoi pour faire oublier leur conduite.

« Allons ! cria Thomas. Déchargeons d'abord le lait ! »

En toute hâte, nous transportâmes les lourds bidons dans la chambre froide de la laiterie. Rosette nous éclairait avec ma lampe de poche. Lorsque tout fut fini, Thomas referma la porte et abaissa le rideau de fer. Puis il se retourna vers la place qu'illuminait de temps à autre un éclair.

« Au travail ! Rapportons tout ça dans les boutiques !

— Mais on n'y voit rien ! objecta Robert.

— Allons prendre des lampes de poche chez le quincaillier ! »

Nous retournâmes dans la Grand-Rue, et, après avoir fouillé la quincaillerie ravagée, nous découvrîmes sur un rayon un certain nombre de lampes de poche et de torches électriques que nous nous répartîmes. Puis nous revînmes sur le marché aux Chèvres.

Ce fut un travail exténuant. Tels les gnomes de la légende, nous allions et venions entre la place et les boutiques de la Grand-Rue, les bras chargés de tout ce que nous ramassions. Les rayons des lampes électriques dansaient mystérieusement çà et là dans les ténèbres. Le tonnerre se rapprochait, et bientôt de larges gouttes de pluie claquèrent sur le pavé. Nous ramenâmes les vélos dans le magasin de cycles, puis ce fut au tour des autos d'enfant, des trottinettes et des voitures de poupée. Thomas, Fred et moi, nous parvînmes à pousser la lourde motocyclette pour la rentrer dans le magasin. Nous ramassâmes les armes, les coiffures d'Indien, les panoplies, les ballons, les poupées et les livres d'images. Pendant ce temps, le gros Paul s'occupait à sa façon en bourrant ses poches de plaques de chocolat et de bonbons. Tout fut terminé bien plus rapidement que nous ne l'avions cru, mais il était temps ! Une violente bourrasque fit voler les lambeaux de papier qui traînaient sur la place.

Au plus vite, nous dûmes songer à nous mettre à l'abri, car l'orage éclatait. Un véritable déluge, accompagné d'éclairs et de tonnerre, inonda la place en quelques instants. Nous nous réfugiâmes en hâte sous un porche, mais le vent s'y engouffrait, nous cinglait de pluie, et bientôt nous fûmes trempés jusqu'aux os. Il nous était impossible de rester là plus longtemps.

« Allons au Lion-d'Or ! » hurlai-je.

Nous attendîmes encore un peu, puis, après un nouvel éclair particulièrement éblouissant, nous nous élançâmes en nous tenant par la main vers l'auberge du Lion-d'Or.

9

La fin du premier jour

« Je suis gelée ! » gémit faiblement Rosette.

Nous étions assis mélancoliquement sur des bancs et des chaises dans la grande salle à manger de l'auberge. Nos vêtements étaient trempés ; quant à nos chaussures, il valait mieux n'en point parler. La pluie battait les vitres. De temps à autre, un éclair brillait encore et le tonnerre grondait, mais déjà l'orage diminuait de violence. À l'aide de ma ceinture j'avais suspendu deux lampes de poche au lustre central de la salle, ce qui nous donnait au moins la consolation de ne pas rester dans l'obscurité.

« Nous allons prendre mal ! dit à son tour Marianne en secouant ses boucles mouillées. Si seulement nous pouvions faire du feu ! »

Mes yeux tombèrent sur la haute cheminée rustique qui ornait le mur du fond de la salle. Je me levai pour aller voir si elle n'était pas factice. Robert me suivit et, comme il est long et mince, il grimpa même à l'intérieur. Soudain, je l'entendis pousser un cri, et il retomba devant moi, le visage noir de suie.

« C'est une vraie cheminée, nous annonça-t-il. J'ai même senti des gouttes de pluie !

— Allons vite chercher du bois », dit Thomas.

Munis de nos lampes électriques, nous passâmes dans la cour qui se trouve derrière l'auberge et pénétrâmes dans un petit hangar où s'entassait du bois de chauffage. Nous en rapportâmes des brassées de bûches et de fagots. Puis nous préparâmes le feu à l'aide de vieux journaux. Mais au dernier moment nous nous aperçûmes qu'aucun de nous ne possédait d'allumettes.

Nous fouillâmes toute la maison sans en trouver. Avant de partir, le propriétaire avait dû les mettre en lieu sûr. Par chance, je finis par découvrir un briquet dans un tiroir, et quelques minutes plus tard un bon feu crépitait dans la cheminée.

Quand nous fûmes réchauffés, nous commençâmes à sentir la faim nous tenailler. Paul suggéra d'aller jeter un coup d'œil dans le garde-manger de l'auberge, et Thomas accepta à condition qu'on n'y prît que le strict nécessaire.

« Nous inscrirons tout sur une feuille de papier, ajouta-t-il. Chacun de nous signera, et nous laisserons ce papier ici, pour le propriétaire.

— C'est ce qu'on appelle un bon de réquisition », commentai-je.

Thomas haussa les épaules.

« Peu m'importe le nom. Mais nos parents seront tenus de payer. Nous ne pouvons tout de même pas ronger nos semelles ! »

Le spectacle du garde-manger bien rempli nous fit venir l'eau à la bouche. Hélas ! Thomas ne nous permit pas de toucher aux merveilles qu'il contenait, et nous dûmes nous contenter d'une grosse soupe paysanne que nous fîmes cuire dans un chaudron au-dessus du feu, ainsi que d'une tranche de pain et de deux rondelles de saucisson.

Cela apaisa tout de même notre faim et nous réchauffa. Après avoir mangé, nous allâmes laver les assiettes et les cuillers dans un tonneau rempli d'eau de pluie, puis les filles remirent tout en ordre. Le feu s'était éteint dans la cheminée. Nous étions morts de fatigue et pouvions à peine garder les yeux ouverts.

« N'est-il pas l'heure d'aller se coucher ? demanda Robert en bâillant.

— Bien sûr que si ! Allons ! Tous au lit ! cria Thomas.

— Mais qu'allons-nous faire ? gémit Gertrude Rabe. Nous ne pouvons pas rentrer chez nous !

— Viens chez nous, avec ton frère, lui dit Erna. Nous avons suffisamment de place...

— Auparavant, mettez un mot sur votre porte, recommandai-je aux enfants Rabe. Pour dire que vous couchez chez les Schluter. Sinon, vos parents risqueraient de s'inquiéter s'ils rentraient au cours de la nuit. »

Là-dessus, nous quittâmes le Lion-d'Or. L'orage s'était éloigné, déjà des étoiles brillaient au ciel. Les enfants qui habitaient dans la rue de Kollersheim et du côté de la gare nous dirent bonsoir. Formant un groupe serré, ils traversèrent le marché aux Chèvres et disparurent dans la Grand-Rue. Le gros Paul nous cria : « Salut ! » et fila vers la rue de l'Hôtel-de-Ville. Robert Lapointe et Charles Benz partirent dans la direction opposée.

Thomas, Henri et moi nous raccompagnâmes Marianne jusqu'à la rue des Moines. Une fois devant sa maison, elle nous tendit la main.

« Bonne nuit ! Merci de m'avoir ramenée chez moi.

— Nous connaissons les usages ! répliqua Thomas en s'inclinant.

— Tu n'auras pas peur de rester seule chez toi ? demandai-je à Marianne.

— Penses-tu !

— Et tu ne crains pas les fantômes ? intervint le petit Henri d'une voix timide.

— Les fantômes, ça n'existe pas ! » répondit-elle sur un ton de mépris.

Puis elle gravit le perron, pénétra dans le couloir et, après nous avoir fait un signe d'adieu, claqua la porte derrière elle.

Nous allions nous éloigner, lorsqu'un ululement plaintif, venant nous ne savions d'où, nous fit tressaillir. Peu rassuré, Henri se serra contre nous. Le ululement se tut pour quelques instants, puis il reprit, plus fort, et se termina sur une note stridente. Je ne suis pas un poltron, mais je dois avouer que j'en eus la chair de poule. La nuit semblait lourde de menaces dans cette ville à l'abandon, avec ses maisons sans lumières et ses rues absolument désertes, sous la clarté fantomatique du clair de lune.

Soudain, Thomas s'élança vers une maison voisine et passa la tête entre les barreaux d'une fenêtre, au rez-de-chaussée. Je l'entendis crier :

« Taisez-vous, les braillards ! »

Nous accourûmes pour jeter un coup d'œil dans la chambre qu'éclairait la lune. Henri et Guillaume Lackner, deux des plus farouches Pirates, étaient assis dans leur lit et sanglotaient à fendre l'âme. Ils avaient peur, seuls dans la nuit, sans leurs parents !

« Fourrez-vous la tête sous les couvertures et faites silence ! » leur cria Thomas.

Ils obéirent, terrifiés. Thomas se retourna vers moi en riant.

« Ah ! ah ! messieurs les Pirates commencent à avoir la tremblote ! »

Je me mis à rire, moi aussi, mais Henri resta muet. Puis nous poursuivîmes notre route en descendant la rue des Moines jusqu'à l'angle de la ruelle où habitait mon ami. Je venais de lui tendre la main en lui souhaitant une bonne nuit lorsque Henri se mit à pleurer bruyamment.

Thomas et moi, nous le regardâmes, embarrassés.

« Qu'as-tu donc ? demandai-je avec étonnement.

— J'ai si peur que maman ne revienne jamais !... gémit le petit garçon.

— Allons ! allons ! fis-je. Pas de bêtises ! Ils seront de retour demain matin, c'est sûr ! »

Thomas lui posa la main sur l'épaule.

« Veux-tu venir chez moi, cette nuit ? »

Henri cessa instantanément de pleurer, et,

après m'avoir dit bonsoir, tous deux s'enfoncè-
rent dans l'étroite ruelle. Je les suivis un instant
des yeux, puis je fis demi-tour et filai le plus
rapidement possible jusqu'à ma maison.

J'allumai ma lampe de poche, montai l'escalier en trébuchant. Quand je fus dans ma chambre, je m'empressai de refermer la porte à clef
et de me déshabiller.

À peine m'étais-je mis au lit qu'un effroyable
miaulement me fit sursauter. Mais tout de suite
je compris que c'était seulement ce vieux
Joseph, le chat. Il devait être sur le toit, en train
de se bagarrer avec ses ennemis. « Ce bon vieux
Joseph ! pensai-je encore. Si Willy ne lui avait
pas attaché un réveille-matin à la queue... »

Et là-dessus je m'endormis.

10

Opération à l'aube

Je fus réveillé en sursaut par de violents coups donnés à la porte, et je m'assis dans mon lit, hébété de sommeil. Le jour se levait.

« Allons ! ouvre ! » criait une voix.

C'était Thomas. Je sautai du lit pour aller ouvrir. Thomas se précipita dans ma chambre, avec Henri sur ses talons.

« Que se passe-t-il ? demandai-je en me frottant les yeux.

— Ils ne sont pas là !

— Qui donc n'est pas là ?

— Les parents, crétin !

— Les parents ! répéta Henri en écho.

— Ah ! catastrophe ! » m'écriai-je en me laissant lourdement retomber sur mon lit.

D'un seul coup, je me souvins des événements de la veille.

« Qu'allons-nous devenir ? » demandai-je, complètement désemparé.

Thomas rejeta la tête en arrière. Son visage se fit énergique.

« Retroussons nos manches ! répondit-il. Nous avons des tas de choses à faire.

— Oui, des tas de choses », répéta Henri.

Je cherchai mes lunettes, et finis par les retrouver sous mon lit.

« Quelle heure est-il ? demandai-je.

— Encore très tôt, dit Thomas. À peine six heures.

— Peut-être les parents vont-ils arriver ? » repris-je en émergeant de dessous le lit.

Thomas haussa les épaules.

« Comment le saurais-je ? Mais la prudence est la mère de la sûreté. Il nous faut devancer

Oscar et ses Pirates. Rien ne nous dit que les parents rentreront aujourd'hui.

— Où peuvent-ils bien être ?

— Aucune idée. Mais rien ne sert de se lamenter. Il nous faut arranger les choses, sinon ça nous coûtera cher.

— Et si nous allions tous à Kollersheim ? suggérai-je.

— C'est absurde. Tu nous vois arrivant là-bas et demandant aux gens : "Pardon, messieurs et dames, vous n'auriez pas vu nos parents, par hasard ?" On se moquerait de nous.

— Ce serait à mourir de honte, reconnus-je.

— Ah ! Tu vois ? La seule chose à faire, c'est de nous débrouiller ici, par nos propres moyens. Les parents ne peuvent pas nous laisser éternellement en plan. Dieu sait ce qu'ils ont bien pu imaginer ! Mais je sais en tout cas une chose : je n'ai rien à me reprocher dans toute cette histoire, et je ne ferai pas amende honorable, même si l'on devait m'enfermer pour dix ans !

— Ne t'énerve pas ! lui dis-je tranquillement. Je suis entièrement de ton avis. Nous nous débrouillerons bien. Quel est ton plan ? »

117

Pendant que je m'habillais, Thomas m'exposa le fruit de ses réflexions nocturnes.

« Oscar dort encore profondément. Tout à l'heure, nous avons jeté un coup d'œil par sa fenêtre, et nous l'avons vu ronfler, de même que Willy et Jean. Nous allons donc en profiter pour fermer toutes les boutiques ainsi que les portes de communication entre les boutiques et les appartements des commerçants. Puis nous mettrons les clefs en lieu sûr. De la sorte, les Pirates ne pourront plus se livrer au pillage. Ce sera déjà ça.

— Fameuse idée, dis-je.

— Henri a son vélo en bas, poursuivit Thomas. Il va parcourir la ville et rassembler notre bande d'hier soir. Cela forme déjà un bon noyau, et nous verrons comment gagner d'autres partisans. Mais nous n'avons pas de temps à perdre. Allons ! Henri ! mets-toi en route. Tire-les tous du lit, sans écouter leurs protestations. Sois énergique !

— Ça ira vite », promit Henri en se précipitant dehors.

Je laçai mes souliers, puis me peignai devant la glace.

« C'est quand même infect de ne pas pouvoir se laver, grognai-je. Nos parents vont un peu fort, tu ne trouves pas ?

— Bah ! fit Thomas. Ce n'est pas si important. Mais mon estomac crie famine.

— Et le mien, alors ?

— Il nous faut trouver le moyen de nourrir les gosses. Sinon, ça tournera mal.

— As-tu oublié le lait ? »

Thomas me frappa sur l'épaule.

« Bonne idée ! Nous allons commencer par distribuer ce lait aux enfants. Peut-être trouverons-nous aussi un peu de pain. En route ! »

Je fourrai rapidement ma montre et mon stylo dans ma poche, puis je quittai la chambre avec Thomas et nous descendîmes les escaliers quatre à quatre. En bas, Thomas me dit de prendre un bloc-notes pour tenir le compte des clefs que nous allions récupérer. Je pénétrai dans la boutique pour y prendre le nécessaire, après quoi je refermai soigneusement la porte et empochai la clef. Thomas m'attendait dehors avec impatience.

Le marché aux Chèvres était désert, l'horloge de l'église indiquait six heures un quart. Le soleil se levait derrière l'hôtel de ville. Nettoyé par l'orage de la veille, le ciel était d'un bleu très pur.

« Quel beau temps ! dis-je.

— Malheureusement, répondit Thomas. J'aurais préféré de la pluie. Les Pirates seraient restés chez eux, ce qui nous aurait facilité la tâche. »

Nous pénétrâmes tout d'abord dans le magasin de cycles. Après avoir traversé la boutique ravagée, nous nous approchâmes de la porte qui donnait sur le logement du commerçant, et nous tendîmes l'oreille. Tout était silencieux.

« Ils doivent dormir ! » chuchota Thomas.

Il tourna la poignée, la porte s'ouvrit. Il glissa la main à l'intérieur, s'empara de la clef qui était sur la serrure, puis il referma la porte, de notre côté. Nous trouvâmes également la clef de la porte d'entrée du magasin. Quelques instants plus tard, cette première boutique était close des deux côtés, désormais à l'abri des pillards. J'inscrivis le nom du commerçant sur un feuillet, y enroulai les deux clefs et fourrai le tout dans ma poche.

Nous passâmes à la boutique voisine, la confiserie, où nous opérâmes de même. Et cela continua, d'un magasin à l'autre, jusqu'à la Maison du Jouet.

Là, pas de clefs !

« Il va falloir réveiller Émile », dit Thomas.

Nous trouvâmes Émile qui dormait dans une chambre du fond. Thomas dut le secouer pour le réveiller. Émile ouvrit les yeux et se redressa en poussant un cri.

« N'aie pas peur, lui dis-je. Nous voulons seulement les clefs du magasin.

— Au secours ! hurla-t-il.

— Pas de bêtises ! gronda Thomas. Nous ne te ferons pas de mal.

— Que me voulez-vous ?

— Les clefs ! Nous allons fermer la boutique pour que les Pirates ne puissent plus y entrer. »

Émile était lui-même un Pirate, nous le savions. Peu à peu, il reprit ses esprits et nous regarda d'un air sournois.

« Je ne sais pas où elles sont, dit-il enfin.

— Eh bien, nous les trouverons sans toi, répliqua Thomas. Cherche-les, Manfred. Pendant ce temps je le surveille. »

C'était facile à dire. Mais comment découvrir

les clefs dans cette maison que je ne connaissais pas ? J'allais passer dans la pièce voisine lorsque mon regard tomba sur le pantalon d'Émile qui gisait dans un coin, roulé en boule. Je me penchai pour le ramasser.

« Sors tes pattes de là ! » cria Émile.

Je fouillai dans les poches et y trouvai les deux clefs.

« Merci quand même », dis-je en me retournant vers lui avec un aimable sourire.

Émile était blême de rage. Il sauta du lit en proférant des menaces, mais il ne put nous empêcher de fermer la boutique de son père et d'empocher les deux clefs.

La même comédie se renouvela dans la librairie Diepental. Par bonheur, les deux fils du libraire n'étaient pas de la trempe d'Émile, et ils se résignèrent assez rapidement à nous livrer leurs clefs.

Bientôt nous eûmes fermé la plupart des boutiques qui pouvaient tenter les pillards. Nous prîmes alors les jambes à notre cou pour regagner le domicile de Thomas où avait lieu le rassemblement de nos fidèles.

11

Le Comité de salut public

La boutique du cordonnier était pleine d'animation. Tous nos amis de la veille étaient là, au grand complet. Le gros Paul lui-même, si paresseux, avait eu le courage de s'extirper du lit pour se joindre à nous. Au total, nous étions dix-sept.

Dès son entrée, Thomas sauta sur un escabeau et agita les bras pour inviter l'assistance à se taire.

« Il faut que nous nous tirions seuls d'affaire ! déclara-t-il. Nous ne pouvons pas nous mettre à rechercher nos parents avec une lanterne. Ils veulent probablement nous éprouver ! Eh bien, surmontons l'épreuve avec vaillance. Nous sommes bien capables d'arranger seuls les choses, n'est-ce pas ? »

Ce fut un tonnerre d'applaudissements. Quand le calme fut revenu, le gros Paul leva la main.

« Je demande la parole, dit-il. En premier lieu, il faut régler la question alimentaire !

— C'est tout naturel, répliqua Thomas. On doit mettre du charbon dans la machine, si on veut qu'elle marche. Mais il est inadmissible que l'on pille les boutiques. Nous allons répartir entre tous les enfants les vivres que nous trouverons.

— Comment comptez-vous faire ? demanda Robert.

— C'est déjà réglé, dis-je en tirant de ma poche une poignée de clefs. Nous avons fermé toutes les boutiques de la Grand-Rue et du marché aux Chèvres. Plus de pillage possible ! »

Je fus très fier des louanges qui accueillirent notre opération.

« Maintenant, reprit Thomas, il s'agit de bien

cacher ces clefs. Mais jurez-moi d'abord de ne pas révéler la cachette !

— Nous le jurons ! répondirent les enfants d'une seule voix.

— Où les cacherons-nous ? demandai-je.

— Peut-être ici ? suggéra mon ami.

— Au grand jamais ! c'est ici que les Pirates viendront tout d'abord les chercher !

— Moi, je sais ! cria Marianne. Cachons-les chez moi, dans notre réfrigérateur. On n'aura pas l'idée d'y regarder. »

Sa proposition fut adoptée. Je mis de côté les clefs de la laiterie et de la boulangerie, dont nous aurions bientôt besoin, puis je confiai toutes les autres à Marianne pour qu'elle allât aussitôt les porter chez elle. Après quoi, nous passâmes dans la rue.

« C'est pour bientôt, le petit déjeuner ? demanda le gros Paul.

— Serre ta ceinture d'un cran ! lui répliqua Thomas. Il est à peine sept heures. Nous avons d'ailleurs quelque chose de très important à faire avant de songer à manger. Écoutez un peu ! »

Nous fîmes cercle autour de lui.

« La plupart des enfants dorment encore,

nous dit-il. Quant aux chefs des Pirates, ils ronflent comme des toupies. C'est donc une occasion qui ne se représentera peut-être plus. Avant qu'Oscar s'éveille, il nous faut avoir amené le plus grand nombre possible d'enfants dans notre camp. Si nous sommes les plus nombreux, nous pouvons gagner la partie. »

Restait à trouver le moyen d'avertir à temps tous les enfants de la ville. L'un proposa de former un cortège et de parcourir les rues, mais cela comportait le risque de tirer du sommeil le chef des Pirates et ses lieutenants. Un autre suggéra d'aller de porte en porte, mais il nous aurait fallu des heures. Finalement, ce fut encore Thomas qui trouva la solution.

« Nous allons faire des affiches, dit-il, et nous les collerons à tous les coins de rue. Chacun de nous en posera une douzaine. Ça ira vite.

— Et que dirons-nous sur ces affiches ? demanda Robert.

— Quelque chose de ce genre : "Venez avec nous ! Aidez-nous à tout remettre en train ! Serrons-nous les coudes ! Laissez tomber Oscar, c'est un voyou qui ne vous attirera que des catastrophes." Etc.

— C'est parfait, dis-je. Et nous promettrons de distribuer du lait et du pain à tous ceux qui viendront avec nous. C'est un argument qui comptera !

— Faudra-t-il écrire toutes ces affiches à la main ? demanda le gros Paul d'une voix anxieuse.

— Impossible, dis-je. Nous les imprimerons à l'imprimerie Kauer. Ce ne sera pas bien difficile de composer ces quelques phrases. Je m'y entends un peu. »

Thomas trouva mon idée excellente.

« Notre cher Manfred a beaucoup de talents ! dit-il en souriant. Des affiches imprimées feront d'ailleurs beaucoup plus d'effet sur les enfants. »

Quand Marianne fut de retour, je l'informai de ce que nous avions décidé, puis nous nous dirigeâmes en groupe vers la rue de l'Hôtel-de-Ville où se trouve l'imprimerie Kauer. La porte était fermée. Nous fîmes le tour du bâtiment et découvrîmes sur l'arrière un petit panneau d'aération qui était resté entrouvert. Nous fîmes la courte échelle à Henri qui parvint à atteindre le vasistas. Il s'y engagea, les jambes les premières, se suspendit par les mains et lâcha. Nous entendîmes le bruit qu'il fit en tombant. Quelques instants plus tard, il nous ouvrait la porte, et nous nous précipitâmes à l'intérieur de l'imprimerie.

J'étais déjà en train de fouiller dans les caractères d'imprimerie lorsque Thomas m'arrêta.

« Pas si vite ! Nous ne savons même pas ce que nous allons imprimer ! »

Là-dessus, tous se mirent à parler en même temps et à faire des propositions.

« Silence ! hurla Thomas. Si tout le monde parle, nous n'aboutirons à rien !

— Élisons un président comme dans toutes les réunions », suggérai-je.

Nous décidâmes alors de voter. Je distribuai de petits carrés de papier, et chacun fut prié d'y inscrire le nom de son candidat à la présidence. Puis Marianne procéda au dépouillement du scrutin. La plupart des enfants avaient voté pour eux-mêmes. Seuls Henri, Rosette, Marianne et moi avions donné notre voix à Thomas, mais il avait tout de même la majorité relative et fut proclamé président.

« C'est maintenant moi qui donnerai la parole ! décida-t-il.

— Faudra-t-il te demander la permission chaque fois que nous voudrons dire quelque chose ? demanda timidement Fred.

— Mais non, voyons ! Seulement lors des discussions importantes. Pour l'instant, je donne la parole à Max.

— À moi ? fit Max tout ébahi. Qu'est-ce que je dois dire ?

— Donne-nous ton avis sur ce qu'on doit imprimer. »

Max se gratta longuement la tête, puis finit par hausser les épaules.

« Pas la moindre idée ! » grogna-t-il.

Mécontent, Thomas se détourna de lui.

« À toi, Paul ! cria-t-il. Tu as la parole !

— J'ai faim ! » explosa le gros Paul.

Ce fut une tempête de rires. Thomas me fit alors signe d'approcher.

« À ton tour, Manfred. Que proposes-tu ?

— Eh bien, dis-je, nous pourrions imprimer un appel dans ce genre : "Aux enfants de Tim-pelbach ! Venez tous à dix heures sur le marché aux Chèvres où l'on vous distribuera du lait et du pain. Quand nous aurons pris notre petit déjeuner, nous discuterons sur ce que nous devons faire. Expulsez Oscar ! Il est incapable de vous donner à manger et à boire. Les parents nous ont abandonnés, et nous devons nous tirer d'affaire tout seuls. Ne faites surtout plus de bêtises, n'écoutez pas les mauvais bergers, et nous triompherons de toutes les difficultés." Voilà !

— Il parle aussi bien que Grincheux ! » dit Charles Benz avec admiration.

Thomas proposa que cette proclamation fût signée de nous tous.

« Et nous nous appellerons "les membres du Comité de salut public !" » ajouta Marianne.

Tout cela fut adopté à l'unanimité. J'allai alors m'installer devant les casses d'imprimerie, après avoir choisi un jeu de très gros caractères, mais au moment de commencer je m'aperçus que j'avais déjà oublié les termes de mon appel. Nous l'écrivîmes donc sur un morceau de papier, tout en le modifiant quelque peu.

Cette fois, je pus me mettre au travail. Je pris les caractères dans les casses et les alignai dans le composteur, en ayant soin de n'oublier ni les espaces ni les interlignes. Quand une ligne était terminée, je l'attachais avec une ficelle. Puis nous transportâmes le tout sur le « marbre », dans la salle d'impression. Je disposai toute ma composition dans un grand cadre métallique et l'y serrai solidement au moyen de clefs fixées sur les bords. Après quoi, je mis tout en place sur la presse. Thomas et Max avaient déjà apporté plusieurs rames de papier.

J'abaissai l'interrupteur du moteur électrique... et rien ne bougea ! Pas de courant ! J'avais simplement oublié cela !

« Nous voilà frais ! » soupira Henri.

Nul ne songeait à rire de ma mésaventure, mais cela ne m'empêcha pas de rougir de confusion. Je me grattais la tête, en maugréant à mi-voix, lorsque mon regard tomba sur le grand volant de la machine. Rapidement, je fis le tour de la presse et tentai de tourner le volant à la main. Je ne parvins pas à l'entraîner.

« Venez m'aider, au lieu de rester plantés là comme des idiots ! » criai-je.

Cinq ou six garçons accoururent, et, en unissant leurs efforts, ils mirent le lourd volant en mouvement.

En toute hâte, je retournai de l'autre côté pour placer la première feuille devant le rouleau. Elle fut saisie par les griffes, s'engagea sous le rouleau et sortit de l'autre côté.

Au milieu des exclamations de joie, Marianne s'empara de notre première affiche qu'elle tint déployée devant elle tandis que nous relisions notre texte. Il y avait certes quelques coquilles, j'avais parfois mélangé des caractères d'un format différent, certains, même, étaient placés à l'envers. Mais dans l'ensemble elle avait fort belle allure, et nous nous déclarâmes tous très satisfaits du résultat.

Sans perdre de temps, je me remis au travail. Pendant près d'une demi-heure, les garçons firent tourner le volant, tandis que les filles enlevaient les affiches, les comptaient et les mettaient de côté. Quand nous eûmes atteint le chiffre de deux cents, nous nous arrêtâmes, complètement épuisés.

Après avoir soufflé, nous transportâmes nos affiches sur le perron de l'hôtel de ville. J'allai chercher dans le magasin de mon père une douzaine de boîtes de punaises que je distribuai à mes compagnons. Chacun d'eux reçut dix affiches, et nous partîmes dans toutes les directions, pour les fixer sur les portes et les palissades de la ville. Il fut convenu que nous nous retrouverions devant la laiterie Muller.

Je viens de fouiller dans mon placard, et j'y ai retrouvé l'une de ces fameuses affiches. En voici la reproduction :

ENFANTS DE TIWPELBACH !

vENEZ toUs suR lE marché + AUx =·Chèvɹes oU vous re-cearez du LAit et dse Petits paɪns▪ ! NOus discuTeront SuR CEquE NOUs De vons FAIRE puisQUE NOS PAɤENTs onↄ DIsParu ;;; Mu Nissez--voUs də ɟasses▪ et De VERREs §§ NE PER DEZ PAS courage / noUs SOMM3S TOUS DAns LE PETɤIN ? MaIS nous noustire-RONS D-AffAIRE ?? ꞙ BAS OScAR ! IL EST RESPONSA ABLE dE TOUT... eT IL EST INCAɟABLE▪ ` DeVOUS D DONNERA A mANGER et ABOIRE !§ Ne Faɪɟs surtout PLLUS DE▪BÉTiseS ///LeS PIRATeS qui ONↄ DES RE— MoRDS RECEᴧRONT AↄSSI DU LAIT & DU PAIN! TOUS AVec NOuS !!!

TOus AVEC NOUS !!!

LE COMITÉ De SALUT PublIC

THOMAS WANK / PRESID3NT

LES MEMbres du COMITÉ = MANFRED MIↄHAEL. Ma-RIANNE LOOSE/Charↄɟs▪BENZ; FRED&ERNA SChluter ; BeRNARD & GERTRↄDE Rabe: MAx PFAUser. Gustave. WAlteR HeNRI hMMEL. Paul BraNDSTEtteR §RosETTE TR AUB▪ ERNESTWERNEɤ LOuiS KELLeR et ROBERT LaPOINTe§

12

Les ventres affamés

Notre affiche eut un succès qui dépassa nos espérances, et de nombreux enfants ne tardèrent pas à arriver, de tous côtés, sur le marché aux Chèvres. Ils apportaient tous des verres ou des pots pour recevoir le lait promis. Leur agitation de la veille avait complètement disparu : une nuit dans une maison déserte, sans lumière, leur avait rabattu le caquet, et le terrible orage de la veille au soir y était peut-être aussi pour quelque chose. Maintenant, ce n'étaient plus que des ventres affamés, tremblant de peur à l'idée que leurs parents ne reviendraient peut-être jamais. Notre appel avait fait sur eux tous une très forte impression.

L'animation était intense devant la laiterie Muller. Quelques Pirates étaient même venus, mais il s'agissait presque uniquement de filles. La plupart des Pirates garçons étaient absents. Sans doute étaient-ils déjà chez Oscar pour lui rapporter les dernières nouvelles et préparer une riposte.

Nous avions retiré les bidons de la chambre froide pour les placer devant la porte de la laiterie. Armée d'une mesure, Marianne distribuait les rations. Fred et Robert faisaient mettre les enfants en rang. Un peu plus loin, devant la boulangerie Bollner, Thomas, Henri et moi nous distribuions des tranches de pain rassis ou des biscottes. Max et ses deux frères veillaient à ce que nul ne passât deux fois devant nous.

Quand tous les enfants furent servis, nous reçûmes aussi notre part, mais Thomas ne toléra pas qu'elle fût plus importante que celle des autres. Le gros Paul, qui était allé chercher un bidon de deux litres, en fut pour ses frais, et dut se contenter de la ration commune.

Après avoir mangé, les garçons et les filles se

groupèrent autour de nous en nous demandant quels étaient nos projets.

« Promettez-moi tout d'abord de ne plus faire de bêtises ! » leur dit Thomas.

Ils en firent le serment. Tous étaient maintenant calmés et regrettaient amèrement ce qu'ils avaient fait. Aussi nous étaient-ils reconnaissants d'essayer de les tirer de là.

« Où est Oscar ? demandai-je.

— Avec ses Pirates, ils ont arraché quelques affiches, me répondit une petite fille. Puis ils sont allés se baigner à la rivière.

— Ça risque de leur ouvrir l'appétit ! fit remarquer le gros Paul avec inquiétude.

— Bah ! fit Rosette. Il y a des centaines de saucisses dans la boutique du père d'Oscar. Ils ont encore de quoi manger !

— Que ces saucisses les étouffent ! » lança rageusement Paul.

Là-dessus, Thomas demanda aux enfants s'ils possédaient encore des vivres chez eux. Hélas ! la plupart des garde-manger étaient vides.

« Il nous faudrait pourtant quelque chose de chaud dans le ventre ! gémit Rudolf Diepental, qui était presque aussi vorace que le gros Paul.

— Très juste ! approuva ce dernier.

« — Ne vous désespérez pas, leur dit Thomas. Il y a encore suffisamment de provisions en ville. Mais qui sait faire la cuisine ?

— Moi ! moi ! crièrent plusieurs filles.

— Mais il n'y a plus de gaz ! » constata ironiquement Charlotte Drohne.

L'avenir s'assombrit subitement. En effet, nous ne pouvions pas vivre de pain sec et de lait.

« J'ai une idée, dit enfin Marianne. Nous irons manger au Lion-d'Or. Il y a assez de tables et de chaises pour tout le monde ; d'autre part, le garde-manger est bien rempli, et j'ai vu un énorme fourneau dans la cuisine.

— Pas mauvaise idée, répliqua Thomas en souriant. Mais il s'agit malheureusement d'une cuisinière électrique. Et nous n'avons pas de courant ! Nous ne pouvons pas non plus faire la cuisine comme hier soir, dans le chaudron, car nous sommes maintenant bien trop nombreux. »

De nouveau les enfants furent déçus. Ils s'étaient déjà réjouis d'aller déjeuner au Lion-d'Or. Beaucoup d'entre eux n'avaient encore jamais mis les pieds dans un restaurant ; quant aux autres, ils n'y avaient pénétré que lors de rares occasions, pour un anniversaire, un mariage ou un baptême.

Pendant qu'ils discutaient, j'avais rapidement pris en secret une audacieuse résolution. Il était certes impossible de remettre en marche l'usine à gaz. Mais j'avais trouvé autre chose.

« Écoutez-moi ! » criai-je soudain.

Tous les yeux se tournèrent vers moi.

« Puisque nous avons besoin de courant, nous allons en produire nous-mêmes », dis-je tranquillement, comme s'il s'agissait de la chose la plus simple du monde.

Il y eut quelques remous dans la foule. Quelqu'un cria même : « Au fou ! »

« Et comment comptes-tu faire, gros malin ? » me demanda le fils du marchand de cycles.

Ces réactions blessantes ne me troublèrent nullement.

« Notre usine électrique, commençai-je, fonctionne à la houille blanche...

— La houille blanche ! Ça n'existe pas ! lança un gamin.

— On appelle ainsi la force motrice produite par une chute d'eau, expliquai-je patiemment à mon interlocuteur. Notre usine ne possède pas de machine à vapeur, mais une turbine qui est actionnée par la rivière. Cette turbine est accouplée à une génératrice qui produit le courant.

Donc, si nous mettons en marche la turbine, nous aurons du courant. C'est tout simple. »

Ma déclaration fut accueillie par un grand silence.

« Tout simple, oui ! Mais sais-tu comment la mettre en marche ? me demanda enfin Charles Benz.

— Bah ! c'est un jeu d'enfant ! répliquai-je sur un ton d'indulgent mépris. J'ai déjà lu ça cent fois dans mes bouquins techniques. Il me suffira de jeter un coup d'œil aux machines, et j'aurai vite compris le truc. Après tout, il ne s'agit que d'abaisser deux ou trois manettes.

— Et nous aurons de la lumière ce soir ? questionna une voix.

— Bien sûr ! »

Thomas me frappa sur l'épaule.

« Mon vieux, dit-il, si tu arrives à faire marcher tes génératrices, tes turbines et tout le tremblement, je te promets que nous t'élèverons un monument ! »

D'un seul coup j'étais devenu le héros du jour. Les enfants se pressaient autour de moi et contemplaient bouche bée celui qui se faisait fort de leur rendre la lumière. Tous demandaient à venir avec moi à l'usine électrique, mais j'annonçai mon intention de n'en emmener que quelques-uns, choisis parmi les plus sérieux.

Soudain, Marianne se mit à rire et regarda moqueusement Thomas.

« Et où comptez-vous trouver l'eau pour faire la cuisine ? demanda-t-elle.

— Tiens ! grommela Thomas. J'avais complètement oublié ça ! »

De nouveau, ce fut moi qui rassurai les esprits.

« Ne vous inquiétez pas, dis-je. Quand l'usine électrique fonctionnera, je pourrai remettre en marche la station de pompage. Il suffit d'abaisser un levier pour envoyer l'eau dans les canalisations. »

On me fit une ovation. Mais je dois avouer que je me sentais plutôt angoissé par ma propre audace. Certes, je possédais quelques connaissances techniques, acquises au hasard de mes lectures : restait à savoir si je saurais les mettre en pratique. Je connaissais bien le contremaître Giese, du service des eaux, qui m'avait souvent montré les machines et expliqué leur fonctionnement. Malheureusement, je ne m'en souvenais guère. Je me réconfortai en me disant que le monde appartenait aux audacieux. Le contremaître m'avait d'ailleurs dit une fois :

« Ces machines modernes, mon p'tit, eh bien, même un enfant serait capable de les faire marcher ! » J'espérais qu'il n'avait pas exagéré.

Thomas me tira de mes songeries en me demandant comment je comptais pénétrer dans l'usine électrique.

« C'est le point délicat, répondis-je. Si nous ne découvrons pas les clefs, rien à faire !

— Pourtant, les parents n'ont pas dû emporter toutes les clefs ! objecta Robert.

— Certainement pas ! Mais ils ont dû bien les cacher.

— Je sais ! intervint soudain Frédéric, le fils du secrétaire de mairie. Papa m'a dit un jour qu'à l'hôtel de ville on conservait le double de toutes les clefs des services publics...

— Bravo ! m'écriai-je. Ça, c'est de la chance ! »

13

Et la lumière fut !

Après avoir fouillé dans tous les coins de l'hôtel de ville, nous finîmes par découvrir un coffret qui contenait les clefs de secours. Chacune d'elles était munie d'une étiquette indiquant son origine. Je pris celles de l'usine électrique et du service des eaux, puis je choisis quatre garçons pour surveiller le fonctionnement des deux usines. Les autres enfants auraient bien voulu m'accompagner, mais Thomas s'y opposa.

« Vous allez rester sur le marché aux Chèvres,

leur dit-il, jusqu'à ce que je revienne. Alors, je vous donnerai du travail. Tout à l'heure, il ne sera plus question de s'amuser ! »

Il se tourna vers Marianne.

« Et toi, poursuivit-il, tu veilleras avec Max et Fred à ce que personne ne fasse de bêtise. Je serai de retour le plus rapidement possible. »

Là-dessus, mes quatre contremaîtres, Thomas, Henri et moi, nous nous engageâmes dans la Grand-Rue. Nous marchions à toute allure. L'usine électrique se trouve au bord de la petite rivière, la Timpel, qui a donné son nom à la ville, à environ un kilomètre au-delà de la gare. En cours de route, je demandai à Thomas s'il comptait vraiment donner du travail aux autres enfants.

« Bien sûr ! me répondit-il. Tous doivent mettre la main à la pâte, si nous voulons que ça marche. Il nous faut organiser le ravitaillement, tenir la ville propre, et surtout nous protéger des Pirates. Je ne pense pas qu'ils abandonnent sans combat.

— Certainement pas ! approuva Erwin, l'un de mes contremaîtres. Ce matin, j'ai rencontré

144

Willy : il vous a traités de tous les noms et a dit qu'Oscar vous réglerait votre compte.

— Je m'attends à une offensive de leur part, reconnut tranquillement Thomas. C'est pourquoi il nous faut montrer aux enfants que nous sommes décidés à agir et que nous pouvons les tirer d'affaire. Sinon, ils retourneront tous chez les Pirates. Dès notre retour, nous réunirons le Comité de salut public pour procéder à la répartition des tâches. »

Bientôt après, nous arrivâmes devant l'usine électrique. Je laissai deux garçons dehors pour monter la garde, puis j'ouvris la porte et nous traversâmes la cour de l'usine en nous dirigeant vers la salle des machines, un petit bâtiment cubique aux hautes fenêtres étroites. Sur la droite, se trouvait le groupe des transformateurs. J'expliquai à mes compagnons qu'ils servaient à transformer le courant à haute tension, produit par la génératrice, en courant à basse tension pour l'éclairage.

Puis je leur montrai la conduite forcée qui descendait de la montagne et aboutissait à la salle des machines.

« Ce gros tuyau, leur dis-je, amène jusqu'à la

turbine l'eau du barrage qui est situé plus haut. L'eau est projetée avec une force énorme sur les pales de la turbine, et fait tourner celle-ci à toute vitesse. On règle l'admission d'eau à l'aide d'une vanne. Celle-ci doit se trouver à l'intérieur. »

J'ouvris la porte de la salle des machines et pénétrai le premier dans le grand hall clair et luisant de propreté, au sol carrelé de blanc. Au fond de la salle, il y avait une sorte de galerie, avec le tableau de distribution, à laquelle on accédait par un petit escalier de fer. Au milieu du hall se dressait l'énorme génératrice, accouplée à la turbine par un arbre vertical.

« Où est l'eau ? demanda Henri en regardant tout autour de lui.

— Sous le hall, répondis-je. Nous ne voyons ici que l'axe de la turbine. La partie inférieure est encastrée dans la conduite. »

Tout à côté, je remarquai une espèce de trappe qui permettait de descendre sous le hall. Je me demandais déjà si je devais emprunter ce passage pour aller ouvrir la vanne, lorsque Thomas attira mon attention sur un grand volant planté dans le sol.

Je m'approchai, l'examinai, puis, hardiment, je commençai à le faire tourner vers la droite. Tout à coup, nous entendîmes un léger murmure. La turbine marchait ! Les aiguilles du manomètre et des autres instruments de mesure se mirent à osciller.

« C'est en route ! dis-je avec un soupir de soulagement, et tout surpris moi-même du succès de mon entreprise.

— Tourne la roue à fond ! me conseilla Thomas.

— C'est inutile. Pour l'instant nous n'avons pas besoin de beaucoup de courant. D'ailleurs, nous allons voir ça sur le tableau. »

Suivi par mes compagnons, je gravis le petit escalier qui conduisait à la galerie. Le tableau de distribution était formé par une large paroi de marbre qui recouvrait tout le mur du fond. Pendant un moment j'examinai les interrupteurs, les cadrans, et les gros volants qui commandaient les conjoncteurs à huile. Puis je fis tourner le volant portant l'inscription « Service des Eaux ».

« Voilà, dis-je. J'ai donné le courant force à la station de pompage.

— Et où se trouve le levier pour les cuisinières électriques ? » me demanda Henri.

Tout d'abord, je restai indécis, ne sachant trop sur quel réseau fonctionnait le chauffage électrique. Mes yeux errèrent sur le vaste tableau, s'arrêtèrent enfin sur l'interrupteur « Lumière ». Et la lumière se fit dans mon esprit.

« Quelle question ! dis-je sur un ton méprisant. Le chauffage marche sur le courant "Lumière". Tout le monde le sait. »

Et j'abaissai le levier.

« Voilà ! Maintenant, on peut faire la cuisine ! »

Puis je donnai mes instructions aux deux garçons chargés de surveiller l'usine.

« Vous ne quitterez pas des yeux ce cadran, leur recommandai-je. Il indique la consommation de courant. Si cette aiguille tombe, c'est que nous en consommons davantage, et il faudra faire marcher plus vite la turbine jusqu'à ce que l'aiguille soit revenue sur ce point rouge. Pour cela, vous tournerez vers la droite le volant de la vanne. Si notre consommation diminue, opérez en sens inverse. »

Quelques minutes plus tard, nous pénétrions dans le petit bâtiment du service des eaux, qui se trouvait non loin de là. Après avoir branché le courant force, je mis en marche les pompes. Les deux contremaîtres que je laissai sur place eurent pour mission de surveiller le manomètre qui indique la pression de l'eau dans la canalisation principale.

Après quoi, nous reprîmes rapidement le chemin de la ville.

« Ça y est ! dis-je, non sans fierté. Nous avons maintenant l'eau et le courant. Il ne nous reste plus qu'à organiser un plan de travail.

— Ce sera fait en moins d'une heure, assura Thomas. Puis nous convoquerons tous les enfants sur le marché aux Chèvres pour les répartir en équipes de travail. »

Je lui fis remarquer que ce meeting sur la place publique risquait d'être troublé par les Pirates, et il décida alors que nous nous réunirions dans la salle des fêtes de l'hôtel de ville.

14

Une séance historique

Ce fut une réunion inoubliable. Sur la petite scène qui se dresse au fond de la salle, nous avions installé trois longues tables auxquelles avaient pris place les dix-sept membres du Comité. Thomas était au centre, assis dans un grand fauteuil ; j'étais à sa gauche, Henri à sa droite ; quant aux autres, ils se répartissaient des deux côtés, sans souci de préséance.

Les enfants étaient enthousiasmés par ce que nous avions réalisé. Dès l'ouverture des portes, ils se ruèrent dans la salle et se battirent pour occuper les premiers rangs. Il fallut de longues minutes pour obtenir un calme relatif. Et encore, ce fut grâce à Louis Keller qui, ayant découvert un gong derrière la scène, se mit à frapper dessus à coups redoublés. Le brouhaha s'apaisa peu à peu, les strapontins cessèrent de claquer et chacun s'installa tant bien que mal. La salle était pleine à craquer.

Derrière notre table, à la tribune, nous prenions tous des airs importants. Louis Keller donna encore trois coups de gong, et Thomas se leva. On sentait qu'il avait un peu le trac. Après quelques secondes de silence, il s'éclaircit la voix et commença à parler.

« Mes amis, dit-il, nous sommes maintenant dépannés, en grande partie grâce à Manfred. Si tout va bien, nous devrions en sortir. Nous avons de nouveau de l'eau et de l'électricité ; ce soir vous pourrez faire la lumière dans vos chambres, et nous comptons prendre nos repas au Lion-d'Or... Nous pourrons aussi nous laver... Évidemment, ça ne fera pas plaisir à tout le monde... »

Il y eut des rires dans la salle.

« Mais cela ne suffit pas ! poursuivit Thomas

d'une voix plus forte. Il va falloir que vous mettiez tous la main à la pâte, car nous devons remplacer nos parents dans toutes leurs activités. Si nous voulons réussir, il importe de ne pas perdre notre temps en discussions inutiles. Je vous demanderai donc, tout de suite, d'élire un président...

— Manfred et Thomas ! hurlèrent les enfants. Manfred et Thomas !...

— Je demande la parole ! » criai-je dans le vacarme.

Mais personne ne m'entendit. Louis Keller dut donner quelques violents coups de gong pour rétablir le calme.

« Je refuse cet honneur, puis-je dire enfin. Deux présidents, cela ne rime à rien. Je vous propose de voter tous pour Thomas ! »

Ce furent des acclamations interminables. Thomas s'inclina à plusieurs reprises pour remercier, puis il se tourna vers moi.

« J'accepte. Mais dans ces conditions, je nommerai Manfred directeur technique ! »

Nouvelle tempête d'applaudissements. Louis Keller frappa sur le gong.

« Voilà un point de réglé, reprit Thomas. Je vais procéder maintenant à la nomination des chefs de groupe qui surveilleront le travail, et auxquels vous devrez obéir comme à moi-même. Mais je précise tout de suite qu'ils devront donner l'exemple, sous peine de révocation.

— Très juste ! » cria une voix.

Là-dessus, Thomas appela les noms des quinze membres du Comité de salut public, signataires de l'affiche. Tous se levèrent.

« Vous nous avez aidés hier soir à remettre un peu d'ordre dans cette porcherie, déclara Thomas. C'est pourquoi je vous nomme chefs de groupe. »

Les enfants applaudirent. L'instant était solennel. Les chefs de groupe paraissaient à la fois émus et ravis. Le gros Paul fit même quelques courbettes pour remercier la salle.

« Asseyez-vous ! reprit Thomas. Avant de commencer, je donnerai un bon conseil aux paresseux qui ne tiennent pas à se fatiguer : filez d'ici pendant qu'il en est temps. Celui qui acceptera une fonction n'aura pas le droit de l'abandonner, sinon, nous le considérerons comme un traître. Certains d'entre vous désirent-ils retourner chez les Pirates ? »

Et il regarda l'assistance d'un air provocant. Mais personne ne broncha.

« Bon ! dit-il alors. Commençons ! »

Il s'assit et déplia devant lui le plan de travail que nous avions établi avant la réunion.

« Premier point, lut-il. Ceux qui possèdent encore des jouets, des livres, ou tout autre objet provenant du pillage d'hier, doivent les remettre avant ce soir à Louis Keller, à l'hôtel de ville, bureau n° 2. »

Il y eut un silence de mort. La pilule était amère, mais nul n'osa protester.

Thomas releva les yeux.

« Personne ne sera puni, précisa-t-il. Nous passons l'éponge. Mais celui qui s'y refusera ne prendra pas ses repas au Lion-d'Or.

— Je rapporterai tout ! dit une voix au milieu de la salle.

— Moi aussi ! moi aussi ! crièrent d'autres enfants.

— C'est réglé, grommela Thomas. Silence ! Louis Keller est chargé de la surveillance des boutiques ; il sera assisté par Walter. C'est à eux que seront confiées les clefs des magasins. Ils seront également chargés du nettoyage des rues, avec une équipe de garçons qu'ils recruteront. »

Thomas tira une clef de sa poche et la lança adroitement à Louis Keller.

« Voici la clef de la maison de Marianne. Tu trouveras toutes les clefs des boutiques dans le réfrigérateur. Après les avoir prises, tu rendras sa clef à Marianne. »

Louis Keller s'était levé.

« À vos ordres, président ! » dit-il en empochant la clef.

Thomas lui fit signe de se rasseoir, puis il lut le second article de son ordonnance :

« Tous les enfants doivent être au lit à neuf heures du soir. Ceux qui ont peur de rester seuls chez eux pourront aller coucher chez un voisin, mais ils devront afficher un papier sur leur porte pour indiquer où ils sont. Tout le monde se lève à six heures. »

Un murmure horrifié passa à travers la salle.

« Quoi ? À six heures ? protesta Charlotte Drohne.

— Oui, à six heures ! répéta Thomas. La sirène de l'usine électrique donnera le signal du réveil. Marianne est chargée de toutes les questions concernant le logement. Paul Brandstetter sera son adjoint.

— Hein ? Quoi ? fit le gros Paul, brusquement tiré d'une douce somnolence.

— Marianne veillera aussi à ce que tous les enfants se lavent et se brossent les dents, poursuivit Thomas.

— Marianne n'a que onze ans ! glapit la grosse Minna. C'est pas juste !

— Elle n'a que onze ans, mais elle est propre, répliqua vivement Thomas. Toi, tu as treize ans, mais tu as toujours les ongles en deuil ! »

Ce fut une explosion de rires. La grosse fille rougit et cacha prestement ses mains sous son siège.

« Marianne sera également chargée du contrôle et de la répartition des vivres », ajouta Thomas.

Du coup, le gros Paul se réveilla complètement.

« Bonne affaire, pas vrai, Marianne ? gloussa-t-il en se caressant l'estomac.

— Oh ! je t'aurai à l'œil, monsieur mon adjoint ! » répliqua-t-elle.

Nouveaux rires.

« Silence ! cria Thomas. Je continue : à neuf heures du soir, l'usine électrique et le service des eaux cesseront de fonctionner. Manfred veillera à ce que ces deux usines soient remises en route dès six heures du matin. Qui prends-tu comme adjoint, Manfred ? »

Je choisis Bernard Rabe, qui était passionné, comme moi, de questions techniques. Puis je jugeai bon de communiquer à l'assemblée une idée qui m'était venue à l'esprit.

« J'ai l'intention, dis-je, de faire fonctionner de nouveau le central téléphonique. Cela nous fera gagner beaucoup de temps, et nous épargnera d'employer plusieurs estafettes pour communiquer entre nous. Paulette et Charlotte seront nommées téléphonistes et feront le service par roulement. »

Et la séance continua ainsi. Pendant plus d'une heure, nous attribuâmes des fonctions aux uns et aux autres, en tenant compte des compétences. Il fut décidé que Thomas et moi, nous nous installerions dans le bureau du maire. On établit l'emploi du temps de la journée, on fixa l'horaire des repas pour les divers groupes. Après quoi, on nomma Erna Schluter intendante du Lion-d'Or ; elle recruta sur-le-champ six cuisinières, et, comme l'heure avançait, les filles quittèrent la salle au milieu des applaudissements pour aller préparer le déjeuner. Les trois fils du boulanger de la rue Saint-Michel, ainsi que Fred Bollner, furent également chargés de préparer une fournée.

Peu à peu, l'assistance devenait houleuse. Il faisait très chaud dans la salle, les enfants commençaient à avoir faim, et certains n'étaient qu'à demi ravis de ce programme de travail intensif qui leur faisait maintenant regretter l'absence de leurs parents. Presque à chaque instant, Louis Keller devait frapper sur le gong pour obtenir le silence.

Une nouvelle fois, Thomas venait de prendre la parole lorsqu'un caillou vola par la fenêtre ouverte et tomba au pied de la scène. Dans un grand vacarme, les enfants se dressèrent, quelques-uns coururent aux fenêtres.

« C'est Willy ! » crièrent-ils.

Je m'étais précipité, moi aussi, juste à temps pour voir le garnement disparaître au coin de la place.

« On lui court après ? » proposèrent certains.

Mais je les en empêchai. À ce moment, je m'aperçus avec surprise que le caillou était enveloppé dans un papier. Fred l'avait ramassé et le tendait à Thomas. Celui-ci déplia le papier, y jeta les yeux, puis se mit à rire.

« Ah ! ah ! fit-il. Les Pirates s'énervent ! Écoutez-moi donc ce message ! »

Et il lut le texte à haute voix :

Aux idiots réunis à l'hôtel de ville !

Vous n'êtes que de sombres crétins. Tous vos laïus ne valent pas deux sous ! La vengeance approche, et les ânes du Comité de salut public peuvent se préparer à une belle dégelée ! Nous tannerons la peau à Thomas pour lui apprendre à faire son malin. Les traîtres doivent immédiatement revenir parmi nous, sinon ils seront punis comme ils le méritent par notre tribunal.

Le chef des Pirates : OSCAR.

J'avais lu par-dessus l'épaule de mon ami. Le texte était écrit au crayon rouge. Dans la marge, un grossier dessin représentait un bonhomme accroché à une potence. À côté, on avait griffonné « Thomas », avec une flèche qui indiquait le pendu.

Thomas froissa le papier et le jeta par terre. Puis il reprit sa place à la tribune. Le silence se fit.

« Mes amis, dit-il, les Pirates nous menacent, mais nous allons leur rabattre le caquet. Je comptais justement vous annoncer que, pour les empêcher de compromettre notre œuvre, nous avions décidé de constituer une milice, une garde civile... »

Il fut interrompu par les acclamations.

« ... Tous les garçons de plus de dix ans qui ne sont pas affectés à un autre service feront partie de cette garde, poursuivit-il. J'en serai le chef, avec Fred et Max comme adjoints. Nous ferons régner l'ordre et répondrons aux agressions des Pirates. Les gardes seront armés de bâtons. L'appel aura lieu tous les matins à sept heures sur le marché aux Chèvres. »

Ce fut un beau tumulte, car tous les garçons demandèrent à servir dans la garde. Louis Keller ne put rétablir le calme qu'en nous assourdissant à coups de gong. Thomas, complètement enroué à force de crier, fut incapable de reprendre la parole, et je dus continuer à sa place pour exposer à l'assemblée un autre projet que nous avions établi le matin même : nous allions créer un service des renseignements pour retrouver la trace de nos parents.

Nous procédâmes alors à un choix sévère parmi tous les candidats à ces postes de confiance. Je chargeai trois « espions » d'explorer, avec des ruses de Sioux, la forêt de Reckling où, selon Thomas, nos parents avaient dû se cacher. Trois autres furent expédiés à bicyclette jusqu'à Kollersheim, pour s'y renseigner discrètement. Enfin, j'assignai à deux grands garçons, Walter et Frédéric, une mission beaucoup plus périlleuse : ils espionneraient les Pirates et chercheraient à percer leurs intentions. Je leur recommandai la plus grande prudence, car il était certain que, s'ils tombaient aux mains de nos adversaires, ils passeraient un mauvais quart d'heure.

Avant de lever la séance, j'annonçai encore à l'assemblée que des guetteurs seraient placés sur le clocher de l'église pour surveiller les alentours à l'aide de ma longue-vue. S'ils apercevaient nos parents, ils sonneraient immédiatement les cloches.

15

Les demoiselles du téléphone

Le déjeuner commença mal. Tous les enfants voulurent faire partie du premier service et se ruèrent à l'assaut du Lion-d'Or. Thomas et ses lieutenants durent intervenir : ils se lancèrent dans la bagarre, distribuèrent quelques bourrades et parvinrent à faire évacuer la salle qui se transformait en champ de bataille. Il menaça de couper l'eau et l'électricité si de tels désordres se reproduisaient, puis il décida que les petits déjeuneraient les premiers. Pendant ce temps, les grands attendraient sur la place où ils recevraient les instructions pour leurs futures tâches.

Lorsque le déjeuner des petits eut été mis en train, je fis un tour sur le marché aux Chèvres qui était en pleine animation. Fred et Max avaient déjà réuni les membres de la garde civile, et ils les groupaient en patrouilles de huit. Un peu plus loin, devant la pharmacie, Robert Lapointe, chef du service secret, était entouré de ses « espions » et il établissait avec eux son plan de campagne. Tous parlaient à mi-voix, en jetant des regards soupçonneux autour d'eux. Assise sur le rebord de la fontaine, Marianne discutait avec ses adjoints de l'organisation de son service. Le gros Paul l'écoutait distraitement tout en grignotant un petit pain rassis qu'il avait dû subtiliser lors de la distribution du matin. Louis Keller courait de tous côtés, cherchant à recruter des employés de mairie, mais nul ne semblait désireux d'accepter un travail de bureaucrate.

Je l'appelai pour lui demander les clefs du bureau de poste. Pendant qu'il allait les chercher, je me mis en quête de mes deux téléphonistes, Paulette et Charlotte, que je retrouvai devant le Lion-d'Or où elles venaient de déjeuner. Nous nous dirigeâmes vers le bureau de poste, situé de l'autre côté de la place. Louis Keller revint avec les clefs, et nous entrâmes.

Le central téléphonique était installé dans une petite pièce à l'extrémité d'un long couloir. Je m'assis devant le standard pour montrer aux deux filles la manière d'établir les communications. En quelques minutes elles eurent compris. Je leur fis répéter plusieurs fois la manœuvre sous mes yeux, puis je chargeai Charlotte d'assurer le service jusqu'à quatre heures. Paulette viendrait la relever.

Un peu plus tard, je retournai au Lion-d'Or où je déjeunai en compagnie de Thomas et des membres du Comité.

Après le repas, je pris quatre garçons avec moi pour aller relever les « techniciens » qui avaient la garde de l'usine électrique et de la station de pompage. Tout marchait à merveille. Sur le chemin du retour, je tombai sur une patrouille de la garde civile qui remontait la rue de Kollersheim.

« Rien à signaler ! m'annonça le chef de patrouille. Les Pirates sont invisibles. »

Mais cela ne me rassura qu'à demi. Cette disparition me semblait au contraire de mauvais augure. N'étaient-ils pas en train de préparer quelque sale coup contre nous ?

« Ouvrez l'œil ! recommandai-je aux gardes. Et téléphonez immédiatement au poste central si vous remarquez quelque chose de suspect. »

Vers quatre heures, j'allai retrouver Thomas dans son bureau de l'hôtel de ville. Il était assis dans le grand fauteuil du maire et il téléphonait. D'après ce que je compris, il était en communication avec Werner, le fils du chef de gare, qui avait tout naturellement pris la place de son père.

« ... L'appel téléphonique venait de Kollersheim ?... disait-il... Oui... De la laiterie ?... Et qu'as-tu répondu ?... Parfait !... Cent kilos de beurre et vingt bidons de lait... Parfait !... J'avertis Marianne... Que je t'envoie des aides pour décharger tout cela du train ?... Entendu ! À six heures et demie ! »

Il raccrocha et me regarda d'un air épanoui.

« Ça tombe à pic ! Nos provisions de beurre étaient justement épuisées ! »

166

Puis il se tourna vers le petit Herbert qui avait pénétré derrière moi dans le bureau.

« Que veux-tu ? lui demanda-t-il.

— C'est Robert qui m'envoie, répondit le petit garçon encore tout essoufflé. Les Pirates se sont réunis au manège ! »

Thomas réfléchit un instant. Je vis ses mâchoires se serrer.

« Très bien, dit-il enfin au jeune messager. Retourne auprès de Robert. Qu'il essaie d'introduire un de nos espions au manège. Il nous faut à tout prix savoir ce que les Pirates mijotent. »

À peine Herbert était-il sorti qu'un autre gamin fit son entrée. Il venait, lui, de la part de Max qui trouvait trop petit le corps de garde de la gendarmerie et réclamait un autre local.

« Pourquoi n'a-t-il pas téléphoné ? demanda Thomas.

— Il n'a jamais pu obtenir la communication.

— Vérifie un peu ce que font ces demoiselles, me dit Thomas en se levant. Moi, je vais faire un tour à la gendarmerie. »

Lorsqu'il eut quitté le bureau en compagnie du gamin, je décrochai le téléphone et actionnai la sonnerie.

« Que désirez-vous ? fit la voix de Paulette.

— Ici, Manfred ! répondis-je. Tout à l'heure, Max n'a pas pu obtenir la communication avec la mairie. Que se passe-t-il ?

— Ah ! ce n'est pas ma faute ! protesta la fille. Quand je suis arrivée pour prendre mon service, Charlotte dormait.

— C'est scandaleux. Passe-moi la gendarmerie.

— Je ne peux pas connaître tous les numéros par cœur ! » répliqua-t-elle sur un ton pointu.

Je m'excusai, cherchai dans l'annuaire, puis lui donnai le numéro. Le 58.

« Un instant ! » dit-elle.

Quand cet instant eut duré plus d'une minute, je commençai à m'impatienter.

« Alors, ça vient ?

— Ne t'énerve pas ! Je n'ai pas encore trouvé la fiche... »

Soudain une nouvelle voix résonna à mon oreille.

« Allô ! oui ?

— Qui est à l'appareil ? demandai-je.

— Werner, le chef de gare.

— Excuse-moi. Faux numéro !

— Quel numéro demandais-tu ?

— Le 58.

— Je regrette. Ici, c'est le 85. »

Et il raccrocha.

« Aïe ! aïe ! aïe ! gémit Paulette. J'ai inversé le numéro.

— Fais donc attention, grosse bête !

— Tâche d'être poli !

— Tu n'es même pas capable de retenir deux chiffres. Drôle de téléphoniste !

— Si tu continues, cria-t-elle, je ne te donne pas la communication !

— Alors, je te ferai arrêter ! »

Elle éclata de rire, et je sentis la colère me gagner.

« As-tu fini de rire, perruche !

— Quoi ? Perruche ? » fit une autre voix avec étonnement.

C'était enfin Max.

« Pas toi ! dis-je. Je m'adressais à Paulette.

— Elle a en effet la langue bien pendue, reconnut Max. Est-ce pour cela que tu me téléphones ?

— Non. Je voulais seulement voir si le téléphone fonctionnait avec la gendarmerie.

— Eh bien, il fonctionne », répondit Max en raccrochant.

Je n'étais pas tout à fait de son avis, et je songeais même à aller faire un tour au bureau de poste lorsque la porte s'ouvrit. Marianne fit son entrée, suivie du gros Paul.

« Plus de pommes de terre ! » m'annonça-t-elle.

C'était une mauvaise nouvelle, car les pommes de terre constituaient la base de notre nourriture actuelle. Le gros Paul avait joint les mains sur son ventre et soupirait à fendre l'âme.

« Et le pain ? Ça marche ? demandai-je.

— Infect ! rugit Paul.

— Comment cela ? » demandai-je avec inquiétude.

Marianne m'expliqua que la première fournée avait été trop cuite. En outre, on avait oublié de saler la pâte ! Une seconde fournée était en route.

Comme Thomas rentrait dans la pièce, je le mis au courant de ce qui nous arrivait. Il réfléchit un instant, puis haussa les épaules avec un sourire.

« Eh bien, dit-il, nous irons arracher des

pommes de terre. La commune en possède justement un grand champ, près de l'usine électrique.

— Mais comment les rapporter ? Il nous en
faut au moins cinq ou six cents kilos !

— Oui, comment les rapporter ? » répéta
Thomas.

16

Saint Matthieu l'accidenté

« Peut-être que le cheval de Pfauser est guéri ? »
suggérai-je au bout d'un moment.

Thomas décrocha aussitôt le téléphone intérieur. Il appuya sur un bouton et se trouva mis
en communication avec le bureau de Louis Keller.

« Allô ! Louis ? dit-il. Voudrais-tu appeler
Walter Pfauser à l'appareil... Oui, c'est très
pressé... Ah ! C'est toi, Walter ?... Comment va

ton cheval ?... Toujours malade ?... Il tousse toujours ?... Tant pis ! Merci.

— Pas de chance ! dis-je. Il aurait pu tomber malade une autre fois.

— Sais-tu conduire une auto ? me demanda Bernard.

— À quoi bon ? lança Thomas. Toutes les autos de la ville sont enfermées au Grand Garage dont nous n'avons pas la clef.

— Pas toutes ! Dans la cour de Mme Muller, il y a la camionnette qui sert au transport du lait.

— Je n'ai encore jamais conduit, avouai-je. Mais je sais à peu près comment ça marche...

— Parfait ! dit Thomas. Nous allons essayer de mettre en route ce tacot. »

Je ne manifestai guère d'enthousiasme à l'idée de prendre place au volant pour expérimenter mes connaissances purement théoriques. Mais Thomas ne doutait pas de moi.

« Tu te débrouilleras, m'affirma-t-il. Tu t'en sortiras très bien. »

Nous descendîmes sur la place. Devant la gendarmerie, Thomas réunit une vingtaine de membres de la garde civile et les chargea de la mission moins glorieuse mais plus utile d'aller arracher des pommes de terre.

« Partez en avant, leur dit-il. Le champ de la commune se trouve juste à côté de l'usine électrique. Commencez à travailler, et nous viendrons vous aider. »

Sous la conduite de Charles Benz, le détachement s'éloigna en direction de la Grand-Rue.

Nous pénétrâmes alors dans la cour de la laiterie. La camionnette, abritée sous un auvent de tôle ondulée, était d'un modèle antédiluvien, haute sur roues, avec le frein à main situé à l'extérieur.

En l'examinant attentivement, je constatai qu'elle avait non seulement un accélérateur à pied, mais également une manette des gaz au milieu du volant. Comme je ne parvenais pas à découvrir le démarreur, j'en déduisis que le moteur devait être lancé à la manivelle.

Nous décidâmes de la pousser tout d'abord sur la place où je procéderais aux premiers essais. Mais, en dépit de tous nos efforts, elle ne bougea pas d'un pouce.

« Elle est vissée au sol, ma parole ! » soupira le gros Paul en s'épongeant le front.

Par chance, je finis par m'apercevoir que le frein à main était tiré à fond. Lorsque je l'eus desserré, la camionnette consentit à avancer. J'avais pris place au volant, les autres poussaient. Max ouvrit le portail de la cour, et nous amenâmes la voiture jusqu'au milieu de la place. De tous côtés, les enfants accoururent pour assister au spectacle.

Je sautai de mon siège, contournai la camionnette et débouchai le réservoir d'essence. Il me parut qu'il était à moitié plein.

« On peut y aller ! criai-je en retournant à ma place.

— Eh bien, vas-y ! répliqua Thomas qui commençait à s'impatienter.

— Minute ! Il faut d'abord que j'examine cet engin ! »

Et je passai en revue pédales, leviers et tirettes. Thomas, Marianne, Henri et Max me donnaient à tour de rôle des conseils.

« Il faut d'abord lancer le moteur, m'expliquait Thomas.

— Très juste ! Mais comment ?

— En tournant la manivelle ! disait Henri.

176

— Je m'en doute bien ! Mais il faut d'abord mettre le contact. Où est-il ?

— Sur le tableau de bord, affirmait Max.

— Je le sais bien. Mais où ? »

J'étudiai le tableau de bord. Il comportait un compteur de vitesses, une montre, et deux petits cadrans probablement pour l'huile et l'essence. Puis une petite boîte ronde et noire, avec un commutateur.

Je tournai celui-ci vers la droite.

« J'ai mis le contact, annonçai-je. Paul ! Tourne la manivelle !

— Pourquoi moi ? protesta le gros Paul. Il paraît que c'est dangereux, un retour de manivelle ! »

Max se proposa alors pour cette opération, mais ce fut en vain qu'il tenta de lancer le moteur. Thomas le remplaça, et tourna si longtemps qu'il devint écarlate. Le moteur ne pipa mot.

« À quoi servent ces deux pédales ? me demanda Max qui s'était penché par-dessus la portière.

— À freiner, répondit le gros Paul. L'une

177

freine les roues de gauche, l'autre celles de droite.

— Idiot ! dis-je. Une seule sert à freiner. L'autre est la pédale d'embrayage.

— Laquelle est-ce ? demanda Marianne avec intérêt.

— Je verrai ça en route », répliquai-je.

Après avoir repris son souffle, Max retourna devant l'auto et empoigna de nouveau la manivelle. Mais le moteur resta muet comme une tombe.

« Quelque chose ne tourne pas rond ! fit spirituellement remarquer Paul.

— Dans ta tête, oui ! » lançai-je furieusement.

Et soudain je me frappai le front en maudissant ma stupidité. J'avais tout simplement oublié la clef de contact.

Ce ne fut pas une petite affaire que de la trouver. Nous la cherchâmes en vain dans l'auto. Puis Marianne et les autres allèrent fouiller la laiterie ainsi que l'appartement contigu, pendant que je restais mélancoliquement assis au volant en me demandant si la malchance nous poursuivrait encore longtemps. Soudain, j'entendis des cris de joie, et je vis Marianne accourir en brandissant un trousseau de clefs.

Je réussis à introduire la plus petite, lui fis faire un quart de tour, et un voyant rouge s'alluma.

« O.K. ! » hurlai-je.

Max actionna de nouveau la manivelle ; cette fois le moteur ronfla.

« En route ! en route ! » cria Marianne.

Elle allait monter dans la camionnette, lorsque Thomas l'arrêta.

« Laissons-le faire tout d'abord un tour d'essai, lui dit-il. On n'est jamais trop prudent !...

— Retirez-vous, là-devant ! » criai-je.

Et je donnai un formidable coup d'avertisseur. Tous s'écartèrent avec effroi, tandis que Thomas sautait sur le marchepied. J'appuyai à fond sur la pédale gauche, puis je passai une vitesse et donnai un bon coup d'accélérateur. L'auto ne bougea pas.

« Lâche la pédale ! » me dit Thomas.

Je la lâchai si brutalement que l'auto fit un bond en avant, et que Thomas dut se cramponner à moi pour ne pas tomber. Effrayé, je donnai un violent coup de frein. Le moteur cala.

Max fut obligé de le remettre en marche. De nouveau, je débrayai, passai une vitesse, donnai les gaz et embrayai lentement. La voiture partit... mais en arrière ! Je m'étais trompé de vitesse !

« Tu fais marche arrière ! cria le gros Paul épouvanté.

— Je m'en suis aperçu, crétin ! »

Et j'appuyai sur le frein. Mais à mon grand effroi, la voiture continua à reculer.

« Arrête ! arrête ! hurlait Thomas.

— Je ne peux pas !... »

Je perdais la tête. Comment ce maudit tacot pouvait-il continuer à rouler, alors que j'avais lâché l'accélérateur et appuyé sur le frein ? Je jetai des regards affolés autour de moi, et constatai qu'il se dirigeait, lentement mais sûrement, vers la fontaine Saint-Matthieu.

Max, Thomas et quelques autres se cramponnèrent au radiateur et aux garde-boue pour tenter d'immobiliser la camionnette sur la pente fatale. Mais le moteur était plus fort qu'eux. La fontaine se rapprochait toujours.

« À moi, la garde ! cria Thomas. Au secours ! »

Les gardes accoururent de tous côtés, mais il était trop tard. La catastrophe était inévitable. Il y eut un choc sourd, ma tête heurta le volant, le moteur cala. L'arrière de la camionnette était entré en collision avec la statue de saint Matthieu qui se dressait au-dessus de la fontaine. Le saint vacilla sur son socle, puis, au milieu des cris d'effroi, il bascula et tomba avec fracas sur le pavé.

Par miracle, la statue ne se brisa pas. Seul, son nez fut détaché par le choc.

Louis Keller et ses adjoints apparurent sur le perron de l'hôtel de ville. De tous côtés, les enfants accouraient, alertés par nos cris. Ils nous entourèrent et contemplèrent avec stupeur la camionnette et l'infortuné saint Matthieu.

La tête me tournait. Je tâtai mon front avec précaution.

« Rien de cassé ? me demanda gentiment Marianne.

— Non, rien. Une belle bosse, c'est tout.

— Mais que s'est-il passé ? demanda à son tour Thomas, avec un regard de reproche.

— Je ne sais pas... J'avais pourtant lâché l'accélérateur, mais cette maudite bagnole a continué à rouler...

— Oui, mais dans le mauvais sens ! fit-il ironiquement.

— Il fallait bien que j'apprenne à faire des marches arrière ! » répliquai-je, blessé dans mon amour-propre.

Soudain, mes yeux tombèrent sur la manette des gaz, au milieu du volant, et je compris en un éclair ce qui était arrivé : par mégarde, mon coude avait heurté la manette, la poussant jusqu'à la position « Pleins gaz ». Voilà pourquoi les freins n'avaient pas suffi à bloquer la voiture sur la pente. Je sautai à terre pour examiner les dégâts. Rien de grave, par chance. Seul, un garde-boue arrière était enfoncé.

« Crois-tu vraiment pouvoir conduire ? me demanda Thomas.

— Oui, cette fois j'ai compris. Je roulerai très lentement et tout ira bien.

— En avant ou en arrière ? » fit le gros Paul en pouffant.

Je dédaignai de lui répondre.

Fred s'approcha de nous.

« Et la statue ? Que faut-il en faire ?

— Tâchez de la remettre sur son socle, répondit Thomas. Allez chercher la grue des pompiers pour la soulever. Moi, je dois filer ! »

J'avais déjà repris place au volant. Max lança le moteur. Marianne vint s'asseoir à côté de moi, tandis que les autres grimpaient sur le plateau.

Je passai la première vitesse, accélérai et embrayai. La camionnette fit un tel bond en avant que tous mes passagers dégringolèrent les uns sur les autres, à la grande joie des spectateurs. Rapidement, je passai en seconde et accélérai.

À une vitesse folle, me sembla-t-il, la camionnette traversa le marché aux Chèvres et s'engagea dans la Grand-Rue. J'entendis les « hourras ! » des enfants restés sur la place. Quelques-uns se lancèrent à notre poursuite, mais durent bientôt s'arrêter, à bout de souffle.

17

Les pommes de terre
sont en panne !

En cours de route, nous rencontrâmes nos trois « espions » qui revenaient de la forêt de Reckling où ils avaient cherché la trace de nos parents. Lorsqu'ils nous aperçurent dans la camionnette pétaradante, ils s'immobilisèrent en ouvrant des yeux stupéfaits. Je freinai et arrêtai le véhicule, tandis que Thomas faisait signe aux trois garçons d'approcher.

« Avez-vous vu les parents ? leur demanda-t-il.

— Non », dit l'un d'eux. Il me regardait avec admiration. « C'est formidable que tu saches conduire à ton âge !

— On se débrouille », répondis-je modestement.

Tous trois voulaient nous accompagner, mais Thomas refusa, et ils s'éloignèrent très déçus. Je passai en première, démarrai. Avec plaisir, je constatai que cela allait déjà mieux. Mais à peine avais-je terminé la manœuvre que Walter déboucha en courant d'une ruelle et nous fit de grands signes. Je freinai si énergiquement que la camionnette chassa sur la droite et manqua de peu un réverbère. Mes passagers furent violemment projetés les uns sur les autres. Marianne, elle, glissa en avant et se retrouva sur les genoux. Elle se redressa en disant simplement :

« Toi, tu sais te servir d'un frein !

— Un peu brutalement ! » grogna Thomas derrière moi.

Walter nous avait rejoints. Il était hors d'haleine et paraissait surexcité.

« Les Pirates taillent des gourdins dans la

forêt ! parvint-il enfin à nous annoncer. Je les ai entendus se plaindre de ne plus rien avoir à manger... »

Le visage du gros Paul exprima une anxiété comique.

« Je parie qu'ils vont piller les magasins d'alimentation ! rugit-il.

— Faisons vite ! décida Thomas. Allons chercher les pommes de terre, et mettons-les à l'abri !

— À toute vapeur ! » criai-je.

Thomas chargea Walter d'aller retrouver au plus tôt le chef de la garde civile. Il devait proclamer l'état d'alerte et doubler les patrouilles qui surveillaient les magasins.

Puis je démarrai en trombe. Cramponné des deux mains au volant, je ne pouvais cependant pas empêcher la voiture de zigzaguer, mais comme la rue était déserte, cela n'avait pas grande importance. Bientôt, nous arrivâmes en vue du champ communal, où une vingtaine de garçons étaient déjà en train d'arracher des pommes de terre, les uns avec leurs mains, les autres avec des pelles ou des binettes. Je fis un virage audacieux et pénétrai directement dans le champ pour faciliter le chargement. Puis nous descendîmes afin de donner un coup de main aux autres.

Travail pénible s'il en fut ! Au bout de dix minutes, nous étions en nage, et les reins nous faisaient horriblement mal.

Le gros Paul gémissait à fendre l'âme.

« Courage ! lui lançai-je.

— Miséricorde ! geignit-il. Je ne pensais pas que c'était si dur !

— C'est évidemment moins fatigant de les manger ! » répliqua Marianne en riant.

Soudain, Max poussa un cri :

« Attention ! Les Pirates ! »

Nous nous redressâmes pour jeter les yeux de l'autre côté de la rivière qui longeait le champ. Une quinzaine de gamins avaient surgi des taillis qui couvraient la rive, et ils nous observaient en se concertant. Tous étaient armés de bâtons.

« En avant ! » commanda Thomas.

Nos gardes ramassèrent leurs gourdins pour se ruer vers les Pirates, à la suite de Thomas. Mais nos ennemis furent si surpris par cette attaque brusquée qu'ils s'empressèrent de disparaître dans les taillis. Thomas renonça à les poursuivre. Nous reprîmes notre travail, et en peu de temps nous eûmes rempli vingt sacs que nous chargeâmes sur la camionnette. Je m'installai de nouveau au volant, avec Marianne à mon côté, et je ramenai prudemment la voiture jusqu'à la route. Thomas et Max montèrent sur le marchepied gauche, Henri et le gros Paul sur le droit. Je me mis en route, lentement, pour que les autres puissent nous suivre à pied.

Tout alla parfaitement bien jusqu'à la gare. Mais voilà qu'au milieu de la place le moteur se mit à tousser, eut quelques ratés, puis s'arrêta. Ce fut en vain que Thomas tourna la manivelle : le moteur resta muet. À son tour, Max tenta sa chance. Sans plus de succès.

« Que se passe-t-il ? » demanda Thomas.

Je soulevai le capot. Tous se penchèrent pour examiner le moteur, mais nous ne constatâmes rien d'anormal. À l'aide d'une clef, je dévissai les bougies, nettoyai soigneusement les électrodes et les remis en place. Après quoi, j'allai tourner moi-même la manivelle, sans parvenir à tirer le moteur de son silence obstiné.

« Quelque chose de cassé, sans doute ! soufflai-je en m'épongeant le front.

— Panne sèche ! » cria soudain Charles Benz, qui était passé derrière la voiture.

Il avait ouvert le réservoir d'essence et plongé un bâton à l'intérieur. Celui-ci ne portait aucune trace d'essence.

« Nous voilà en panne ! » soupira Henri.

Le pire, c'est qu'il nous était impossible d'aller chercher de l'essence. Timpelbach, qui est très à l'écart des grandes routes, ne possède en effet qu'une seule pompe, celle du Grand Garage, mais elle était fermée.

« Poussons la voiture », proposa Max.

Je repris place au volant, les autres se mirent à pousser. Mais malgré tous leurs efforts la voiture, lourdement chargée, ne bougea pas. Quelqu'un suggéra d'aller prendre le fiacre qui se trouvait toujours sur la place.

« Cela durerait trop longtemps, fit remarquer Thomas. Les Pirates mijotent quelque chose, et nous ne pouvons abandonner les pommes de terre aussi loin de notre quartier général. »

Désespéré, je m'assis sur le marchepied, la tête entre les mains. Mes compagnons restaient silencieux. La situation paraissait sans issue. Soudain, mes yeux tombèrent sur le garage du tramway, de l'autre côté de la place. Avec un hurlement d'Indien, je sautai sur pied et m'élançai à travers la place. Les autres durent croire que j'étais subitement devenu fou.

Je secouai la porte du dépôt, mais elle était malheureusement fermée à clef. Thomas me rejoignit, ayant enfin deviné ce que j'avais derrière la tête.

« Tu veux prendre le tram ?

— Et comment ! Je connais la manœuvre... Nous chargerons les sacs sur les plates-formes, et nous irons jusqu'au coin du marché aux Chèvres. De là, il sera facile de les transporter au Lion-d'Or.

— Fameuse idée ! reconnut-il.

— Oui, mais l'ennui, c'est que ce satané garage est fermé à double tour !

— Ne t'inquiète pas. Nous allons téléphoner à Louis, pour lui dire de nous envoyer les clefs par courrier spécial.

— Fameuse idée ! dis-je à mon tour. Moi, je téléphonerai à l'usine électrique pour qu'on nous donne le courant. »

Après que Thomas eut donné l'ordre aux gardes d'entreprendre le déchargement des sacs de pommes de terre, nous nous dirigeâmes vers la gare. Le quai était désert. Nous trouvâmes Ernest Werner en train de jouer aux cartes avec ses adjoints dans le bureau de son père. L'entrée de Thomas fit l'effet d'un ouragan.

« Comment ! cria-t-il. C'est ce que vous appelez monter la garde ? À vos postes, au trot ! »

Les jeunes garçons s'esquivèrent, l'oreille basse. Ernest tenta de se justifier :

« Nous n'avions rien d'autre à faire... Le train ne passe qu'à sept heures... »

Sans lui répondre, Thomas s'approcha du téléphone, décrocha, mais dut attendre un long moment avant que le central manifestât son existence.

« Tu t'étais encore endormie ? gronda-t-il enfin. Passe-moi immédiatement le 9 ! »

Puis il se tourna vers moi, en haussant les épaules.

« C'est Charlotte, évidemment ! Elle doit avoir la maladie du sommeil ! »

Presque aussitôt il obtint la communication.

« Allô ! reprit-il. Qui est à l'appareil ?... Walter ?... Eh bien, ouvre tes oreilles : Louis doit m'envoyer im-mé-dia-te-ment la clef du dépôt du tram... Oui !... je suis à la gare... Expédiez-la par votre meilleur cycliste... Mais vite ! vite ! »

Il raccrocha. À mon tour, je pris l'écouteur et tournai la manivelle de la sonnerie.

« Ici, Charlotte ! » dit une voix endormie.

J'entendis même un bâillement.

« Ici, Manfred ! répliquai-je sur un ton furieux. Espèce de marmotte ! Donne-moi le 33 !

— Un petit moment, me répondit-elle sans s'émouvoir. Il faut d'abord que j'éternue...

— De quoi devenir fou ! » soupirai-je en jetant un regard à Thomas.

Je dus attendre que Charlotte eût éternué. Mais ensuite, ce fut le silence. Au bout d'une minute, je commençai à tempêter, et j'obtins enfin la communication.

« Ici l'usine électrique, annonça la voix d'un de mes contremaîtres.

— Ici Manfred. Rien à signaler ?

— Non, tout va bien.

— Poussez la turbine à fond, ordonnai-je alors. Ensuite vous brancherez le courant force sur le réseau du tram. Soyez prudents ! Haute tension ! N'y mettez pas vos doigts !

— Ce sera fait », répondit la voix.

Après avoir raccroché, je me tournai vers Thomas en me frottant les mains.

« Voilà ! dis-je. Quand nous aurons la clef, nous pourrons démarrer. »

Mais Thomas ne semblait pas partager ma satisfaction. Il m'observait, en plissant légèrement les yeux.

« Nous nous lançons peut-être dans quelque chose d'un peu dangereux..., commença-t-il.

— Je sais, je sais ! Ne t'inquiète pas. En fin de compte, un tram est beaucoup moins fantasque qu'un vieux tacot comme celui de tout à l'heure. Le tram roule sur des rails et, même si je pars en marche arrière, il n'y aura pas grand mal. »

Thomas ne paraissait toujours pas très convaincu.

« Tu feras bien attention, me recommanda-t-il encore. Tu iras très lentement...

— Ne t'inquiète pas. C'est aussi facile à conduire qu'une voiture d'enfant.

— Je veux bien te croire », soupira-t-il.

Ernest nous écoutait, bouche bée.

« Quoi ? fit-il. Vous allez faire marcher le tram ! »

Le laissant à sa stupeur, nous quittâmes le bureau.

Les gardes avaient déjà déchargé plus de la moitié des sacs de pommes de terre et les entassaient le long des rails. Debout sur le plateau de la camionnette, Marianne dirigeait les opérations.

« Par ici ! ordonnait-elle. Rangez celui-là un peu plus loin... voyons !... Ne le laissez pas tomber !...

— Fais pas tant l'importante ! » grommelait Paul qui, avec trois autres garçons, transportait avec peine un sac particulièrement lourd.

Thomas et moi, nous vînmes donner un coup de main. Quand tous les sacs furent déchargés, nous poussâmes la camionnette hors des rails, le long du trottoir.

Peu après, un cycliste arriva en trombe et nous remit la clef du dépôt.

« Il y a du neuf ! ajouta-t-il.

— Quoi donc ?

— Les Pirates ont fait prisonnier Frédéric, qui était chargé de les surveiller... Ils lui ont donné une terrible raclée, puis ils l'ont relâché après lui avoir lié les mains derrière le dos et accroché un écriteau sur la poitrine... Quand il est arrivé à l'hôtel de ville, Frédéric en pleurait de rage ! »

Thomas fronça les sourcils.

« Qu'avaient-ils écrit sur l'écriteau ? » demanda-t-il.

Le nouveau venu parut un peu gêné de rapporter à son chef le message insultant des Pirates. Puis il dut s'y résoudre.

« Ils ont écrit : "À Thomas et à ses lèchebottes ! Voilà le sort qui attend vos mouchards. Vous aurez bientôt fini de crâner. L'heure de la vengeance a sonné. Nous allons vous pulvériser ! Signé : Oscar." »

18

Sur la ligne n° 1

J'ouvris le dépôt et pénétrai à l'intérieur. C'était un simple hangar, assez mal éclairé. Le coquet petit tramway rouge était rangé juste devant la grande porte à deux battants. Au fond, j'entrevis la remorque, dont on se servait assez rarement.

« Il faut d'abord brancher le courant ! » me rappela Henri, alors que je montais déjà sur la plate-forme.

Je me mis en quête de l'interrupteur qui permettait d'envoyer le courant dans les fils, et je découvris une sorte de petit placard métallique sur lequel on avait peint un éclair et inscrit ces mots : « Danger de mort – Haute tension. » Après l'avoir ouvert j'aperçus au fond trois gros leviers sur une plaque de marbre.

Dans le doute, je les enclenchai tous les trois. Puis je revins au tramway et relevai la perche. Lorsque la roulette entra en contact avec le fil, il se produisit quelques étincelles, mais cela cessa quand j'eus lâché la corde et que la perche fut solidement appuyée contre le fil par son ressort. Après quoi je cherchai la manette qui permet de mettre le contact. J'avais bien souvent observé la manœuvre et connaissais l'ordre dans lequel on devait faire ces opérations. Je découvris la manette dans un coffre à outils. Alors je montai sur la plate-forme, enfonçai la manette sur son axe, et lui fis faire un quart de tour vers la droite jusqu'à ce qu'elle s'enclenchât. Le contact était mis. Sur le tableau couvert de chiffres, la manivelle occupait la position 0. À gauche du cadran, il y a des chiffres arabes, de 1 à 5. C'est pour freiner en inversant le courant – je le savais. Au milieu, des chiffres romains, de I à V. Puis en ordre inverse, de V à I. Pour finir, un zéro, le point mort.

Bernard ne me quittait pas des yeux, pour voir comment j'allais m'en tirer.

« Que signifient ces chiffres ? me demanda-t-il avec curiosité.

— Dans cette sorte de grosse boîte, il y a des résistances, lui expliquai-je. En tournant cette manivelle, on supprime progressivement les résistances, ce qui permet d'envoyer plus de courant au moteur. C'est ainsi qu'on peut régler la vitesse.

— Ah ! ah ! fit-il d'un air entendu, bien qu'il n'eût vraisemblablement pas compris grand-chose à mes explications.

— Ouvre donc la porte en grand », lui demandai-je.

Il sauta de la plate-forme et alla ouvrir les deux battants, puis il revint auprès de moi.

Du pied, j'actionnai plusieurs fois le timbre, je m'assurai que le grand frein à main était desserré, puis je mis la manivelle sur I. Le tram s'ébranla lentement et sortit du hangar. Je passai sur II. L'allure s'accéléra. Alors, je revins à 0 et serrai le frein à main. La voiture s'arrêta. Je poussai un soupir de soulagement. Les choses s'annonçaient bien.

En voyant le tram sortir du dépôt, les enfants avaient poussé de grands cris. Abandonnant les sacs de pommes de terre, ils s'étaient précipités vers moi et me contemplaient maintenant comme un phénomène. Thomas bondit sur la plate-forme pour me donner l'accolade.

« Bravo, mon vieux ! Tu nous sauves ! » me dit-il tout joyeux.

Je n'étais pas peu fier de mon exploit qui me rachetait à mes propres yeux et à ceux de mes camarades. En effet, je n'avais guère brillé au volant de la camionnette.

« Au travail ! ordonnai-je. Chargez les sacs ! »

En moins de temps qu'il n'en faut pour le dire, les gros sacs furent entassés à l'intérieur de la voiture. Marianne, Thomas, Henri et Bernard prirent place à mes côtés ; Max resta sur la plate-forme arrière pour jouer le rôle de receveur. Les autres s'installèrent sur les banquettes.

« Prêt ? demandai-je à Thomas.

— Paré ! En avant toute ! »

Je desserrai le frein à main, mis la manivelle sur I, et la voiture avança lentement. Puis je passai sur II, III et IV. Avec d'affreux grincements de roues, le tram vira dans la rue de Kollersheim. Je ramenai la manivelle sur 0 et laissai le tram descendre la pente, entraîné par son propre poids. Lorsqu'il commença à rouler un peu trop vite, je serrai légèrement le frein. Tout allait merveilleusement bien. Les maisons défilaient des deux côtés, et je ne quittais pas des yeux les rails, exactement comme le wattman que j'avais observé maintes fois. À l'intérieur de la voiture, mes voyageurs faisaient un bruit d'enfer pour manifester hautement leur joie.

Maintenant, la rue remontait, et, pour la première fois, je mis la manivelle sur V. Arrivé au sommet de la pente, je ramenai rapidement la manivelle jusqu'au zéro, freinai un peu, puis m'engageai lentement dans la nouvelle descente. Soudain la sonnette retentit au-dessus de ma tête : Max donnait le signal d'arrêt. J'inversai le courant et serrai le frein à main. La voiture s'immobilisa. Après avoir placé la manivelle sur zéro, je me retournai. Albert, l'un de nos « espions », venait derrière nous, à bicyclette, en nous criant de l'attendre. Il abandonna son vélo sur la chaussée pour sauter sur la plate-forme avant.

« Les Pirates nous ont attaqués ! annonça-t-il en reprenant péniblement son souffle. Ils ont fait prisonniers Henri Wittner et Nicolas... Moi, j'ai pu leur échapper... »

Une agitation intense s'empara de tous. Les gardes se penchaient par la porte, chacun questionnant Albert.

« Raconte ! lui dit Thomas dont les yeux brillaient de colère.

— Eh bien, nous revenions de Kollersheim... Les parents n'y sont pas. Nous avons eu beau les chercher partout...

— Au fait ! coupa Thomas. Raconte l'agression !

— Eh bien, nous filions à toute allure pour rentrer le plus vite possible... Nicolas a proposé de passer par la rue Basse, ce qui raccourcit le chemin jusqu'au marché aux Chèvres... Comme nous arrivions devant le manège, une trentaine de Pirates sont sortis du jardin pour se précipiter sur nous. Nicolas et Wittner ont été jetés à terre... Moi, j'étais en tête, j'ai pu filer à temps...

— Vengeance ! crièrent les gardes. Il faut les délivrer !

— Du calme ! ordonna Thomas. Il nous est

impossible de prendre d'assaut le manège. La seule chose à faire, c'est d'attirer les Pirates dehors. Tout d'abord, nous allons transporter les pommes de terre au Lion-d'Or, puis nous réunirons le conseil de guerre. Je vous donne ma parole que les prisonniers seront délivrés avant ce soir ! »

Au même instant, un autre cycliste faisait son apparition, venant du marché aux Chèvres. C'était Robert Lapointe en personne.

« Les Pirates ont quitté le manège et se dirigent vers le centre ! nous cria-t-il, dès qu'il fut à portée de voix. Ils sont armés de bâtons ! »

Il laissa son vélo au milieu de la rue et s'élança vers Thomas.

« Que faut-il faire ? demanda-t-il.

— Retourne immédiatement là-bas ! lui dit Thomas. Réunis tous les gardes sur la place. Que les filles s'enferment au Lion-d'Or ! Allons ! Fais vite ! Nous te suivons. »

Robert sauta de nouveau sur sa bicyclette et s'éloigna en pédalant comme un forcené.

« En voiture ! » cria Thomas.

Albert hissa son vélo sur la plate-forme et prit

place dans le tram. Max actionna le signal du départ.

« À toute vitesse ! » me dit Thomas.

Je mis la manivelle sur le V, et, à fond de train, je descendis la rue de Kollersheim jusqu'à l'endroit où elle tourne pour déboucher dans la Grand-Rue. Je donnai alors un bon coup de frein, puis je repartis à toute allure. Un peu avant le terminus, à l'angle de la Grand-Rue et du marché aux Chèvres, j'inversai le courant et freinai si violemment que les roues patinèrent sur les rails. Nous étions au but. Les passagers sautèrent sur la chaussée. Je coupai le courant, enlevai la manette et la glissai dans ma poche. Pour plus de sûreté, j'abaissai même la perche.

En poussant d'immenses clameurs, les membres de la garde se précipitèrent vers nous. Ils étaient tous surexcités par l'apparition subite du tram, ainsi que par l'annonce d'une prochaine bagarre avec les Pirates. Thomas leur ordonna de transporter immédiatement les sacs de pommes de terre au Lion-d'Or. Mais à peine avaient-ils commencé qu'une de nos patrouilles déboucha en courant de la rue des Moines. Un grand cri retentit sur la place :

« Les Pirates arrivent ! »

Le chef de patrouille accourut vers Thomas.

« Ils approchent ! nous dit-il d'une voix entrecoupée par l'émotion. Ils arrivent par la rue des Moines et la rue de l'Hôtel-de-Ville...

— Aux armes ! hurla Thomas. Abandonnez les sacs ! Aux armes ! »

En toute hâte, les garçons ramassèrent leurs gourdins qu'ils avaient laissés çà et là pour décharger les sacs et ils s'alignèrent sur plusieurs rangs, devant l'hôtel de ville. Louis, Robert et quelques autres sortirent de la gendarmerie, en apportant des brassées de bâtons qu'ils distribuèrent à ceux qui n'en possédaient pas encore.

Rapidement, mais sans perdre une seule seconde son sang-froid, Thomas divisa nos forces en deux groupes et leur assigna leurs positions :

« Le premier groupe barrera la rue des Moines ! ordonna-t-il. Le second bloquera la rue de l'Hôtel-de-Ville. À aucun prix, les Pirates ne doivent atteindre le marché aux Chèvres. Courage ! En avant ! »

Il prit le commandement du premier groupe et me confia le second. Nous nous séparâmes.

19

La bataille

À la tête de mes hommes, je m'élançai à travers la place en direction de la rue de l'Hôtel-de-Ville. Comme lieutenants, j'avais Bernard, le gros Paul, Max, Robert et Walter. Fred, Louis, Charles et le petit Henri étaient restés avec Thomas. Non sans effroi, je constatai soudain que Marianne elle-même s'était armée d'un énorme gourdin. Les cheveux au vent, et en faisant de furieux moulinets avec son arme, elle marchait derrière Thomas qui, tout au feu de l'action, ne s'était aperçu de rien.

De toutes mes forces, je hurlai :

« Marianne ! Rentre immédiatement dans la mairie ! »

Mais il était trop tard. Au coin de la rue des Moines surgit une horde de Pirates qui s'élançaient à l'assaut avec des cris furieux. Jean Krog, le fils du maire, venait en tête de la colonne et excitait ses hommes de la voix et du geste. Ils se heurtèrent à Thomas et à ses gardes. Une terrible mêlée s'engagea. De là où j'étais, j'entendais les hurlements de rage, les insultes, les cris de douleur, puis, sans savoir comment, je me trouvai moi-même au milieu de la bagarre. La seconde bande de Pirates avait surgi à l'improviste de la rue de l'Hôtel-de-Ville et tombait sur nous à coups de bâton.

Nous ripostâmes de notre mieux. Bientôt les bâtons volèrent en éclats, et le combat se poursuivit à coups de poing. Soudain, je sentis un choc violent en plein visage : mes lunettes sautèrent et tombèrent sur le pavé où elles se brisèrent. Ne maîtrisant plus ma fureur, je sautai à la gorge du plus proche garçon. Nous roulâmes sur le sol et continuâmes à nous battre avec acharnement, en soufflant, en jurant, jusqu'au moment où je m'aperçus que, par méprise, j'avais empoigné l'infortuné Paul.

« Tu es complètement fou ! haleta le gros garçon, tout tremblant de rage.

— Excuse-moi ! dis-je en me redressant. Je ne t'avais pas reconnu... »

De nouveau, nous nous lançâmes dans l'effroyable mêlée. Brusquement, une tête de rouquin émergea devant moi : ce ne pouvait être que Willy Hak. Je bondis vers lui. Il m'envoya un coup de poing sur le nez, mais dans l'ardeur du combat, ce fut à peine si je le sentis. Je ripostai en lui lançant une gifle retentissante. Il hurla de douleur, puis tenta de me donner un croc-en-jambe. Plus rapide que lui, je lui portai une terrible droite à l'estomac. Puis je lui sautai sur le dos.

« Lâche-moi ! » glapit-il, tout en cherchant à me démolir les tibias à coups de talon.

Mais je ne l'aurais lâché à aucun prix. Enfin, j'allais pouvoir me venger de toutes ses scélératesses, et je n'oubliais pas, en cet instant triomphant, que c'était lui le principal responsable de nos malheurs actuels.

« Rends-toi ! soufflai-je en l'écrasant contre moi.

— Lâche-moi ! croassa-t-il d'une voix étranglée, comme s'il eût perdu le souffle.

— Rends-toi !

— Oui, je me rends ! » gémit-il.

Soudain, il éclata en sanglots. Surpris, je le lâchai, mais il en profita pour me lancer un coup de pied dans les tibias.

Je poussai un cri de souffrance, puis je tentai de l'empoigner de nouveau, mais il m'échappa. Je m'élançais à sa poursuite lorsque quelqu'un me jeta un bâton dans les jambes. Je m'étalai tout de mon long : Willy s'empressa de décamper.

Maintenant, j'étais assis au milieu de la place, regardant avec inquiétude autour de moi. L'issue de la bataille était encore indécise. Les Pirates avaient réussi à nous refouler sur la place, mais les nôtres défendaient chaque pouce de terrain avec une vaillance exemplaire. De tous côtés, des gamins luttaient. La plupart des bâtons étaient brisés. Thomas se battait avec plusieurs adversaires, ses poings faisaient des ravages autour de lui. Le fidèle Henri restait à ses côtés et parait les coups de bâton.

Devant la laiterie Muller la bataille était particulièrement acharnée. Ici, les gardes et les Pirates formaient une masse compacte. Louis, Fred et Charles gagnaient du terrain, pied à pied. Chose étrange, on n'apercevait nulle part Oscar le Rouge.

Soudain, je vis Marianne devant la pharmacie. Deux Pirates s'étaient jetés sur elle, lui avaient arraché son gourdin et tentaient de la faire prisonnière. Ils l'avaient empoignée aux cheveux, mais elle se débattait comme une diablesse, en frappant des poings et des pieds, semblable à un poney furieux qui rue des quatre fers.

« Crétins ! hurlait-elle. Vous allez me payer ça ! »

D'un bond, je me remis sur pied, et me précipitai vers elle pour lui porter secours. Mais Thomas lui aussi s'était aperçu de sa situation critique. Il parvint à se dégager de ses adversaires, vola littéralement à travers la place et tomba comme la foudre sur les agresseurs. Il les empoigna tous deux par le cou et projeta les deux têtes l'une contre l'autre. Avec des hurlements de douleur, les deux Pirates filèrent au plus vite.

Fou de rage, Thomas se tourna alors vers Marianne.

« Que fais-tu ici ? lui cria-t-il. Rentre immédiatement au Lion-d'Or... Tu y seras en sécurité... »

Les yeux bleus de Marianne brillèrent de colère.

« Et si je veux leur taper dessus ? »

Je la saisis par le poignet, mais elle m'échappa pour se jeter de nouveau dans la mêlée.

« Complètement folle ! » soupira Thomas qui la suivit des yeux en hochant la tête. Mais sa colère était tombée, et je discernai dans son accent comme une secrète admiration.

Lentement, semblait-il, la bataille tournait maintenant à notre avantage. Les Pirates étaient progressivement refoulés dans les rues adjacentes. Il faut dire que nous étions peut-être un peu plus nombreux qu'eux, mais en revanche ils faisaient preuve d'une plus grande brutalité et n'observaient pas les règles d'un combat loyal. Cela ne leur servait à rien. Peu à peu, ils devaient céder le terrain.

Soudain, une farouche clameur s'éleva du côté de la Grand-Rue. Thomas et moi nous nous arrêtâmes, paralysés de surprise pendant un instant.

« Tonnerre ! gronda Thomas. Oscar le Rouge nous prend à revers !... »

En effet, une forte bande de Pirates, sous la conduite d'Oscar, débouchait de la rue de Kollersheim et remontait la Grand-Rue au pas de course.

« Le tramway ! » hurlai-je.

Trop tard ! Les Pirates grimpaient déjà dans le tramway et en prenaient possession avec des cris de triomphe.

Thomas se retourna, mit les mains en portevoix devant sa bouche.

« Henri ! Fred ! Max ! appela-t-il. Par ici... »

Les trois garçons se dégagèrent rapidement de la mêlée pour accourir vers nous.

« Faisons Oscar prisonnier ! leur dit Thomas. Nous aurons gagné la bataille ! »

Mais déjà les Pirates du marché aux Chèvres, réconfortés par cette arrivée de renforts inattendus, se précipitaient vers leur chef en poussant de frénétiques hourras.

Les gardes se regroupèrent autour de nous.

« En avant ! ordonna Thomas. Il faut reconquérir le tram ! »

Nous nous élançâmes derrière lui.

Mais lorsque nous arrivâmes auprès du tramway, nous eûmes la désagréable surprise d'être accueillis par une grêle de pommes de terre. Les Pirates avaient éventré les sacs, et nous bombardaient avec les précieux tubercules, amenés jusqu'ici au prix de tant de peine. Ces projectiles d'un nouveau genre faisaient diablement mal !

En toute hâte, nous dûmes nous replier pour chercher à nous abriter, poursuivis par les rires insultants de nos adversaires. Debout sur la plate-forme avant du tramway, Oscar le Rouge dansait de joie et nous menaçait du poing en hurlant :

« Approchez un peu, poltrons ! Approchez !

— En avant ! ordonna de nouveau Thomas. Nous les aurons ! »

Vaillamment, nous nous lançâmes une seconde fois à l'assaut de la forteresse, mais nous fûmes reçus par une telle avalanche de pommes de terre que nous dûmes nous enfuir avec des cris de douleur. La lutte était inégale, car nous ne voulions pas renvoyer les projectiles qui auraient fait voler en éclats les vitres du tram.

Les Pirates exultaient. Ils bloquaient maintenant la Grand-Rue, et, sous la protection de leur artillerie, certains d'entre eux tentaient déjà de forcer les portes des boutiques.

Après avoir tenu un bref conseil de guerre, nous décidâmes qu'une partie de nos troupes devait à tout prix tenter de prendre l'ennemi à revers. Max et Robert reçurent le commandement du tiers de nos forces. Ils s'engagèrent dans la rue des Moines pour effectuer un mouvement tournant qui, par diverses ruelles, les amènerait vers le milieu de la Grand-Rue. De là, ils attaqueraient les arrières des Pirates.

Le gros de notre armée resta en position sur le marché aux Chèvres, car avant toute chose il importait de protéger l'hôtel de ville et le Lion-d'Or. Si les Pirates avaient conquis la place, tout eût été perdu. Et nous risquions fort de les voir bientôt passer à l'attaque, armés de leurs « grenades ».

Soudain, j'eus une idée. Sans même consulter Thomas je criai :

« Dix hommes avec moi ! Par ici ! »

Je m'élançai dans la rue de l'Hôtel-de-Ville et ne m'arrêtai que devant la remise des pompiers.

20

La fin des Pirates

La porte était grande ouverte. Fred avait omis de la refermer lorsqu'il était venu chercher la grue pour remonter saint Matthieu sur son socle. Je pénétrai à l'intérieur et aperçus au fond la voiture rouge des pompiers.

« Emportons le tuyau ! » ordonnai-je.

Mes hommes grimpèrent sur la voiture, déroulèrent le gros tuyau de toile et le transportèrent dans la rue. Puis nous remontâmes jusqu'au marché aux Chèvres en le traînant derrière nous.

Lorsqu'ils nous virent apparaître sur la place avec ce « canon » d'un nouveau genre, nos partisans poussèrent des cris de joie. Thomas me frappa sur l'épaule en me félicitant de ma brillante initiative.

Sans perdre de temps, je vissai l'extrémité du tuyau à la bouche d'incendie qui se trouve au pied du perron de l'hôtel de ville, puis, empoignant la lourde lance métallique, je me dirigeai vers la Grand-Rue. Par chance, les Pirates ne pouvaient nous voir, car nous étions cachés à leurs yeux par une maison d'angle.

« Ouvrez tout ! » criai-je.

Thomas, qui était resté auprès de la bouche d'incendie, tourna immédiatement la clef. L'eau sous pression gonfla le tuyau avec une telle violence que je faillis être renversé. Un immense jet balaya la place, et je dus faire appel à toutes mes forces pour pouvoir maintenir la lance. Max, Henri et Louis accoururent pour m'aider à traîner le tuyau jusqu'à la Grand-Rue. Brusquement, je surgis à l'angle en dirigeant sur le tram le puissant jet d'eau, presque aussi gros que mon bras.

Les Pirates qui étaient dans le tram et sur la

chaussée poussèrent des cris d'épouvante. Dans leur affolement, ils en oublièrent de nous bombarder à coups de pommes de terre. Avant même que nos ennemis aient pu se ressaisir, mon « canon » fit de terribles ravages dans leurs rangs. Ceux qui étaient atteints par le jet d'eau tombaient comme des mouches. Oscar et ses lieutenants durent abandonner la plate-forme pour se glisser à l'intérieur de la voiture. Les autres se réfugièrent en hurlant derrière le tram.

Au même moment, Fred et ses hommes achevaient leur mouvement tournant. Ils avaient débouché vers le milieu de la Grand-Rue et attaquaient les Pirates par-derrière. Nos adversaires se trouvaient pris au piège, dans une situation critique. Mais soudain, ils lancèrent une audacieuse contre-attaque : un groupe d'entre eux surgit de derrière le tram, se déploya sur la chaussée et s'élança vers nous. Ils avaient bourré leurs poches de pommes de terre et nous bombardaient de tous côtés. En même temps, un autre groupe ripostait à l'attaque de Fred et faisait tomber sur les assaillants une grêle de projectiles.

C'était Oscar en personne qui dirigeait la sortie en direction du marché aux Chèvres. Il bondissait à la tête de ses hommes en les stimulant par des cris furieux. Je tentai de braquer sur lui le jet d'eau, mais au même instant je fus atteint en plein visage par une pomme de terre. Du coup, je lâchai tout, tombai sur Max et Henri, les entraînai dans ma chute, tandis que la lance, livrée à elle-même, se tordait sur le pavé comme un serpent géant, crachant son jet de tous côtés. En un clin d'œil, nous fûmes trempés jusqu'aux os.

« Coupez ! coupez ! » hurlai-je.

Quelqu'un referma la bouche d'incendie, et nous pûmes nous redresser. Mais déjà quelques Pirates se précipitaient sur le tuyau, cherchant à nous l'arracher des mains. Oscar, lui, s'était frayé un passage jusqu'à la bouche d'incendie et était parvenu à s'emparer de la clef. Thomas avait dû se réfugier sur le perron de l'hôtel de ville où il essayait de tenir tête à une demi-douzaine de Pirates. Non loin de lui, Marianne ramassait des pommes de terre pour les lancer sur nos adversaires.

Par bonheur, Fred et sa bande volèrent à notre secours. Leur intervention obligea les

Pirates à se replier. Ils occupèrent de nouveau le tram, et nous soumirent à un intense bombardement.

Nous en étions donc revenus au même point qu'auparavant. Tant que le tram ne serait pas reconquis, nos adversaires resteraient invincibles. La lance d'incendie ne nous servait plus à rien, puisque Oscar en avait pris la clef. Certes, nous étions toujours les maîtres du marché aux Chèvres, mais les Pirates occupaient la Grand-Rue, contrôlant ainsi les plus importants magasins de la ville. La tentative de diversion opérée par Fred n'avait pas abouti, et nous comprenions maintenant qu'il était dangereux de diviser nos forces si nous voulions défendre en premier lieu la Grand-Place.

Nos hommes se regroupèrent à l'abri des maisons, des deux côtés de l'extrémité de la Grand-Rue. Ils étaient si épuisés par la terrible bagarre que nous ne pouvions songer, pour l'instant, à lancer un nouvel assaut. Là-bas, de l'autre côté de la place, les filles se pressaient aux fenêtres du Lion-d'Or, attendant anxieusement l'issue du combat.

En rasant les murs, j'allai jeter un coup d'œil

au coin de la Grand-Rue. La plupart des Pirates étaient rassemblés autour du tram où on leur distribuait de nouvelles munitions. Un peu à l'écart, Oscar et ses lieutenants se concertaient, mettant probablement au point une nouvelle ruse de guerre.

Soudain, sur le trottoir opposé, j'aperçus le petit Henri qui se glissait à la dérobée par la porte de la maison d'angle. Cela me surprit car, jusqu'à présent, le petit infirme s'était vaillamment comporté, et il m'était difficile de croire qu'il cherchait maintenant à se mettre à l'abri. Mais je ne restai pas longtemps dans l'incertitude : une fenêtre s'ouvrit au premier étage, et Henri passa prudemment la tête dehors pour observer la rue au-dessous de lui. À cet endroit, la Grand-Rue est très étroite. Aussi le tram était-il relativement proche de la maison. Les Pirates ne se doutaient pas le moins du monde de ce qui se passait au-dessus de leurs têtes, et ils ne songeaient qu'à nous surveiller pour se prémunir contre une attaque brusquée de notre part.

Henri monta sur le rebord de la fenêtre. Je

retins mon souffle. « Il est fou... », eus-je le temps de penser...

Puis il sauta hardiment dans le vide. Il tomba tout de son long sur le toit du tram, se redressa presque aussitôt et s'approcha du bord. Adroit comme un singe, il s'y accrocha des deux mains, resta un instant suspendu, donna enfin un bon coup de reins et atterrit sur la plate-forme. Les Pirates furent si surpris par cet adversaire qui tombait du ciel, qu'ils ne réagirent pas immédiatement. Avant qu'ils fussent revenus de leur stupeur, Henri avait empoigné le frein à main et l'avait desserré. Le tram s'ébranla lentement, puis se mit à rouler de plus en plus vite, à reculons, dans la rue en pente. L'audacieuse tentative d'Henri avait pleinement réussi ! D'un seul coup, il avait éloigné l'imprenable forteresse, tout en jetant la confusion la plus complète chez l'ennemi.

Avec des hurlements de rage, les Pirates se lancèrent à la poursuite du tram.

« Regardez ! regardez ! » criai-je, en me retournant pour appeler les nôtres.

Ils accoururent jusqu'à l'entrée de la Grand-Rue, et, avec ébahissement, suivirent des yeux le tram. Celui-ci avait déjà atteint le bas de la pente ; il roula encore sur une quinzaine de mètres, puis s'arrêta.

Oscar avait été le premier à le rattraper. Il sauta sur la plate-forme, empoigna Henri et le projeta sur la chaussée. Plusieurs Pirates se ruèrent sur l'infortuné garçon. Mais Thomas n'avait pas attendu : comme une flèche, il descendit la Grand-Rue, passa sur le corps de trois Pirates qui tentaient de lui barrer le passage, puis il tomba à bras raccourcis sur les adversaires d'Henri. « Brutes ! Lâches ! » hurlait-il. Immédiatement, il fut engagé dans une terrible mêlée.

« En avant ! Suivez-moi ! » criai-je, en m'élançant au secours de nos deux camarades. La garde civile tout entière passa à l'attaque, et ce fut si rapide que les Pirates n'eurent pas le temps de réoccuper le tram. Notre premier choc les dispersa. Avant qu'ils aient pu se regrouper, le tram et les munitions étaient entre nos mains. Un feu roulant de pommes de terre s'abattit alors sur les Pirates qui durent prendre la fuite. Nous les pourchassâmes. Beaucoup d'entre eux se réfugièrent dans les couloirs des maisons ;

d'autres, par un long détour, revinrent sur le marché aux Chèvres et tentèrent de trouver un abri au Lion-d'Or. Mais c'était tomber de mal en pis, car les filles les accueillirent avec des manches à balai, des rouleaux à pâtisserie et des tapettes. Les « Piratesses » repenties se distinguèrent tout particulièrement dans la lutte contre leurs anciens complices.

La bataille touchait maintenant à sa fin. Les Pirates avaient subi une défaite écrasante, et ils étaient tous soit en fuite, soit prisonniers. Willy Hak et Jean Krog s'étaient rendus. Un fort détachement de la garde civile surveillait de près ces deux prisonniers de marque.

Quand Oscar eut compris qu'il avait perdu la partie, il tenta de filer pour se mettre en lieu sûr. Mais son projet échoua, car Thomas se lança à sa poursuite et parvint à le rattraper. Alors, courageusement, le chef des Pirates fit face. Ce devait être le dernier règlement de compte entre les deux grands rivaux.

Le combat se déroula sur le marché aux Chèvres, au milieu d'un immense cercle d'enfants. Tout d'abord, Oscar voulut utiliser ses talents de boxeur, mais il tombait mal :

Thomas, qui savait également boxer, parait habilement tous ses coups et frappait comme la foudre. Oscar essaya alors de pratiquer la lutte, ce qui aurait dû l'avantager, puisqu'il était le plus robuste des deux. Mais il avait compté sans la souplesse de son adversaire qui glissait entre ses mains comme une anguille. Oscar devint écarlate. Aveuglé de fureur, il commença à commettre des fautes. Soudain, il fonça, la tête en avant. Il suffit à Thomas de s'écarter de sa trajectoire pour que le gros garçon s'étalât tout de son long. Avant qu'il eût pu se relever, Thomas lui avait sauté sur le dos et le plaquait contre le sol.

Les spectateurs poussèrent des cris de joie. Oscar se débattait désespérément, mais Thomas le maintenait cloué au sol d'une main de fer.

« Rends-toi ! lui dit-il d'une voix haletante.

— Jamais !

— Rends-toi ! Tu es battu ! Rends-toi ! » crièrent les assistants.

Thomas resserra son étreinte.

« C'est pour bientôt ? gronda-t-il.

— Je me rends ! » souffla Oscar.

Thomas se redressa d'un bond.

« Max et Fred, faites-le prisonnier ! » ordonna-t-il.

Les deux garçons s'approchèrent, et mirent la main au collet d'Oscar.

« Victoire ! » hurlaient les enfants.

Le chef des Pirates restait immobile, tête basse. Sans résister, il se laissa emmener par une patrouille de la garde qui l'enferma, en compagnie de Willy et de Jean, dans le cachot de la gendarmerie.

« Mon Dieu ! Et Henri ? s'écria soudain Thomas. Nous l'avons oublié !... »

Nous retournâmes en hâte dans la Grand-Rue. De loin, déjà, nous vîmes le petit Henri gisant sur le pavé, à côté du tram. Marianne et le gros Paul étaient penchés sur lui. À notre approche, la fillette releva la tête.

« Rien de grave ? demandai-je avec inquiétude.

— Je ne sais pas. Il est évanoui... »

Elle venait de lui saisir le poignet pour lui tâter le pouls, lorsque le petit infirme ouvrit les yeux.

« J'ai mal ! gémit-il. J'ai horriblement mal au pied... »

Thomas lui enleva rapidement ses chaussures. La cheville gauche était tout enflée. Marianne nous assura qu'il ne devait s'agir que d'une entorse, et nous poussâmes un soupir de soulagement. D'autres enfants se groupaient maintenant autour de nous et contemplaient avec compassion le blessé. Celui-ci, soutenu par le bras de Marianne, paraissait angoissé.

« Est-ce que je vais mourir ? » nous demanda-t-il d'une voix faible.

Thomas se moqua gentiment de lui.

« Allons donc ! Demain, tu trotteras comme d'habitude ! »

Et le petit Henri eut un sourire heureux.

Marianne proposa alors qu'on le transportât chez elle. Avec précaution, nous le redressâmes, et il se mit debout sur son pied indemne. Puis, soutenu par nous, il avança lentement, à cloche-pied, vers la rue des Moines. Sur son passage, les enfants faisaient la haie pour l'applaudir et le féliciter de son exploit qui nous avait permis de remporter la victoire. Erna, notre cuisinière en chef, alla même chercher au Lion-d'Or une grosse plaque de chocolat qu'elle lui offrit.

« Tiens ! lui dit-elle. Ça te fera oublier ton pied. »

Le marché aux Chèvres présentait de nouveau un spectacle de désolation. Il était jonché de pommes de terre ; la statue de saint Matthieu se balançait doucement, suspendue à la grue, au-dessus de la fontaine ; la lance d'incendie gisait en travers de la place dont une partie était inondée ; partout, des bâtons brisés, des bérets, des lambeaux de vêtements.

Mais nul ne se souciait de se remettre au travail. Charlotte se prélassait devant le bureau de poste, l'hôtel de ville était abandonné, les patrouilles de sécurité s'étaient dispersées. Quant aux filles, elles étaient toutes sorties du Lion-d'Or et commentaient avec animation les derniers événements de la journée.

Thomas s'arrêta net devant ce tableau.

« Tous au travail ! » rugit-il.

Sans maugréer, chacun s'empressa de retourner à sa tâche.

21

Le jugement

Le lendemain matin, toute notre organisation fonctionna à merveille. À sept heures, les gardes se réunirent sur le marché aux Chèvres où l'on procéda à l'appel. Puis, après le petit déjeuner, tous se rendirent au travail qui leur avait été assigné et firent de leur mieux pour remplacer les parents absents. La garde civile – qui n'avait plus grand-chose à garder – fut employée à une vaste entreprise de nettoyage. Armés de pelles, de balais, de brouettes et de seaux d'eau, les garçons parcoururent les rues de la ville qui redevint bientôt d'une propreté exemplaire.

Le marché aux Chèvres avait été remis en état la veille au soir. À l'aide de la grue, nous étions parvenus à replacer la statue de saint Matthieu sur son socle. On lui avait même recollé le nez, un peu de travers peut-être, mais nul ne devait s'en apercevoir par la suite. Les innombrables pommes de terre qui recouvraient le sol avaient été ramassées et transportées au Lion-d'Or. J'avais ramené le tram au dépôt et fait rapporter la lance d'incendie dans la remise des pompiers.

Le danger des Pirates avait cessé d'exister. Ceux d'entre eux qui s'étaient réfugiés dans la forêt de Reckling y avaient erré quelques heures. Mais à la nuit tombante, tourmentés par la faim et l'inquiétude, ils avaient envoyé une ambassade à Thomas pour implorer son pardon. Réuni sur-le-champ, le Comité de salut public décida de les admettre à l'essai dans nos équipes de travail. S'ils donnaient satisfaction, ils seraient graciés. Sous la même condition, nos prisonniers furent remis en liberté.

Seuls Oscar, Willy et Jean restèrent enfermés dans leur cellule et durent y passer la nuit. Nous avions décidé en effet de les traduire devant notre tribunal.

Leur procès s'ouvrit l'après-midi même, dans la salle du manège, l'ex-quartier général des Pirates.

Tous les enfants qui n'étaient pas retenus ailleurs par une besogne indispensable avaient été invités à y assister. Entassés sur les gradins, ils bavardaient avec animation en attendant le début de l'audience. Thomas, les membres du Comité et moi-même, nous avions pris place sur des chaises installées au milieu de la piste, derrière plusieurs caisses retournées. En face de nous, le banc des accusés. Thomas présidait les débats ; pour ma part, je devais requérir contre Oscar et ses lieutenants. Les autres tenaient le rôle de juges.

Lorsque Louis Keller eut frappé sur le gong, un grand silence se fit. Thomas se leva.

« L'audience est ouverte, dit-il. Faites entrer les accusés ! »

Le chef de la garde civile frappa dans ses mains, et l'on vit s'ouvrir la petite porte par laquelle nous avions pénétré dans le manège, Thomas et moi, trois jours auparavant. Une douzaine de gardes firent leur entrée et formèrent la haie depuis la porte jusqu'au bord de la piste. Puis Oscar, Willy et Jean furent introduits par leurs gardiens. Tous trois s'immobilisèrent, frappés de stupeur en apercevant les enfants de Timpelbach réunis dans la vaste salle.

« Faites avancer les accusés ! » ordonna Thomas.

Bon gré, mal gré, les trois chefs des Pirates durent obéir aux gardiens qui les firent asseoir sur le banc et prirent position derrière eux.

Louis Keller donna alors trois nouveaux coups de gong, et je me levai en remettant d'aplomb mes lunettes. À vrai dire, ce n'étaient plus mes lunettes, qui avaient été brisées dans la bataille, mais un vieux lorgnon de mon père. Sans lui, j'aurais été incapable de lire l'acte d'accusation. L'ennui, c'est que le ressort était si détendu qu'il menaçait à chaque instant de me glisser du nez. C'est pourquoi je dus le maintenir d'une main, tandis que de l'autre j'approchais le papier de mes yeux.

« Accusé Oscar Stettner, lève-toi ! » dis-je d'une voix forte.

Oscar se dressa d'un bond, visiblement très impressionné par notre cérémonial.

« Tu es accusé d'avoir commis de nombreux délits, repris-je. Tu as poussé les enfants à la révolte, et les as incités à piller les boutiques. Tu as lancé de graves menaces contre Thomas Wank et ses amis. Tu as fait prisonniers des garçons qui travaillaient pour le bien de tous, et tu les as fait rouer de coups. Quand tu as vu que, malgré cela, tu ne parvenais pas à nous intimider, tu as organisé une véritable émeute et tu as attaqué le marché aux Chèvres avec tes Pirates. Tu as enfin jeté Henri Himmel à bas du tram. Qu'as-tu à dire pour ta défense ? »

J'abaissai ma feuille et regardai Oscar par-dessus mon lorgnon. Mais il restait silencieux, sans réaction.

Des huées s'élevèrent de divers coins de la salle.

« Donnons-lui une belle raclée ! lança une voix.

— Silence ! criai-je. Toute manifestation est interdite dans l'enceinte du tribunal. Silence, ou je fais évacuer la salle ! »

Lorsque le calme fut revenu, je repris la lecture de l'acte d'accusation.

« Accusé Willy Hak, lève-toi ! »

Mais Willy resta assis, se contentant de ricaner avec mépris. Deux gardiens se précipitèrent sur lui et l'obligèrent à se mettre debout. Il cessa instantanément de ricaner.

« Qu'est-ce que vous me voulez ? maugréa-t-il.

— Tu es accusé d'avoir mis les enfants de Timpelbach dans une situation désastreuse, répondis-je. C'est ta vilaine farce qui a tout provoqué. Tu as attaché un réveille-matin à la queue du chat Joseph. Celui-ci a fait de tels ravages que nos parents ont été poussés à bout et nous ont abandonnés. Nous ne savons pas où ils sont, ni s'ils reviendront jamais. C'est à toi que nous devons tout cela. As-tu quelque chose à dire pour ta défense ?

— J'pouvais tout de même pas deviner que cette sale bête ferait tant d'histoires ! » protesta Willy avec hargne.

De nouveau l'assistance poussa des huées.

« Jean Krog, lève-toi ! » poursuivis-je.

Le troisième accusé obéit.

« Tu es aussi coupable que les autres, lui dis-je. Tu as participé à tous les délits commis par Oscar et Willy. Qu'as-tu à dire pour ta défense ?

— Quoi-quoi-quoi ? » bredouilla Jean.

Il avait un air si stupide que la salle entière éclata de rire.

« Silence ! » criai-je en élevant la main.

Mais mon mouvement fit tomber le lorgnon sur la table. Je le ramassai, le juchai de nouveau sur mon nez, puis m'adressai aux accusés en prenant un ton solennel :

« Au nom de tous les enfants de la ville, je demande pour vous un sévère châtiment. Nous serions dans une situation désespérée, si nous n'étions pas parvenus à mettre les chefs des Pirates hors d'état de nuire. Vous n'avez aucune excuse et ne pouvez invoquer de circonstances atténuantes. C'est pourquoi j'espère que le tribunal prononcera contre vous une sentence impitoyable. »

Je me rassis au milieu des applaudissements. Louis Keller donna un coup de gong, et Thomas se leva à son tour.

« Le tribunal se retire pour délibérer », annonça-t-il.

L'un après l'autre, les juges se dirigèrent vers une porte qui donnait sur les annexes du manège. Par un large couloir, nous arrivâmes dans les anciennes écuries où nous nous concertâmes rapidement sur la peine à infliger.

« Nous pourrions les laisser enfermés dans le cachot de la gendarmerie jusqu'au retour des parents, proposa Max.

— Ce serait le plus sûr ! » dit Robert.

Charles Benz, également, se prononça en faveur de cette punition. Enfermés dans le cachot obscur, les trois Pirates auraient l'occasion de faire quelques réflexions salutaires.

« Non ! intervint alors Thomas. La détention n'aurait pas grand effet sur eux. Ils seraient trop heureux de passer leurs journées à ne rien faire, et nous serions obligés de leur apporter à manger ! »

Marianne fut de son avis.

« Le mieux, déclara-t-elle, ce serait de les condamner à une peine de travaux forcés.

— Laissons-les une journée entière sans manger, dit le gros Paul. Ce serait la pire des punitions. »

Il y eut des rires et des protestations.

« Non, dis-je. On n'a pas le droit de faire ça, même à un criminel.

— Eh bien, condamnons-les à éplucher les pommes de terre au Lion-d'Or, suggéra Erna. Cela nous rendra service à tous. »

La proposition d'Erna ne souleva aucune objection, contrairement à celles des autres.

« Excellente idée, reconnut Thomas. Je suis d'avis de condamner Willy et Jean à la corvée d'épluchage. »

La sentence fut adoptée à l'unanimité.

« Quant à Oscar, poursuivit Thomas, son cas est plus grave, et il devrait être plus sévèrement puni que les deux autres. Je crois que le plus dur châtiment qui puisse frapper un homme est son exclusion de la communauté. Nous allons libérer Oscar, mais nul ne devra lui parler ou jouer avec lui. Nous le traiterons par le mépris. Qu'en pensez-vous ?

— Approuvé ! dis-je.

— Et qui lui donnera à manger ? demanda le gros Paul.

— Il viendra chercher sa nourriture dans la cour du Lion-d'Or.

— Entendu ! fit Thomas. Êtes-vous tous d'accord ? »

Cette dernière décision fut également adoptée.

« Eh bien, venez ! » reprit Thomas.

Nous retournâmes dans la salle du manège où les enfants faisaient maintenant un vacarme infernal. Mais dès notre entrée ils se turent, car ils brûlaient de connaître le résultat de nos délibérations.

Nous reprîmes nos places. En face de nous, sur le banc des accusés, Oscar, Willy et Jean avaient bien triste mine. Le chef des Pirates, complètement effondré, attendait notre sentence avec une angoisse visible. Sans doute reconnaissait-il enfin qu'il était allé un peu trop loin. Willy essayait encore de prendre des airs arrogants, mais il était plutôt pitoyable. Jean, lui, restait figé sur place, la bouche entrouverte, ne parvenant pas à comprendre ce qui lui arrivait.

« Je vais prononcer la sentence au nom du tribunal ! annonça gravement Thomas.

— Debout ! » crièrent les gardes.

Oscar et ses deux lieutenants obéirent sans

murmurer. Le visage d'Oscar était blanc comme un linge ; les mains de Willy tremblaient convulsivement ; Jean roulait des yeux effarés.

« Willy Hak et Jean Krog sont condamnés à éplucher tous les jours les pommes de terre dans la cuisine du Lion-d'Or ! » dit Thomas d'une voix forte.

Willy parut complètement ahuri. Il s'attendait sans doute à une peine bien plus sévère.

« Dieu soit loué ! laissa-t-il échapper.

— Ne te réjouis pas trop tôt ! lui cria moqueusement Erna. C'est un drôle de travail ! »

Les jeunes spectateurs parurent un peu déçus. Ils escomptaient en effet que les trois Pirates ne s'en tireraient pas sans une volée magistrale.

« Éplucher les pommes de terre, c'est pas bien terrible ! protesta la grosse Minna qui était assise au premier rang.

— Parle pour toi ! » lança une voix du fond de la salle.

Louis Keller donna un coup de gong pour rétablir le silence. Thomas se pencha alors en avant et posa sur Oscar un regard sévère.

« Toi, Oscar, lui dit-il, tu seras puni par ton exclusion de la communauté des enfants. »

241

Il avait parlé lentement, en détachant chaque mot. Un murmure d'effroi parcourut l'assistance. Oscar baissait la tête, ses yeux étaient rivés au sol.

« À partir de maintenant, poursuivit Thomas, tu es pour nous un étranger. Nous te bannissons ! Aucun enfant ne jouera plus avec toi, aucun enfant ne te parlera plus. Tu seras tenu à l'écart de tous, comme un pestiféré... »

Mais il ne put continuer. Oscar venait de s'écrouler sur son banc. Le visage caché dans les mains, les épaules secouées de sanglots, il gémissait :

« Non ! non !... Pitié !... »

Un silence écrasant régnait dans la grande salle. Oscar le Rouge pleurait ! Le redoutable chef des Pirates avait perdu toute son insolence, il demandait grâce ! Indéniablement, notre jugement l'avait durement touché.

« N'est-ce pas un peu trop sévère ? » soufflai-je à Thomas.

Mais déjà, sans attendre, Marianne s'était levée et courait vers Oscar. Elle lui passa un bras sur les épaules, le secoua doucement.

« Allons ! allons ! fit-elle, tout émue. Ne

pleure pas comme ça, voyons ! Nous allons te trouver une autre punition...

— Je... ne... veux... pas... être... ex-ex-exclu ! mugit Oscar dans une nouvelle explosion de sanglots.

— Préfères-tu éplucher les pommes de terre ? lui demanda Marianne.

— Oui ! brama le chef des Pirates. J'aime mieux les p-p-pommes de terre !

— Alors, c'est réglé, intervint rapidement Thomas. Nous te faisons grâce, et ne te condamnons qu'à la corvée d'épluchage. »

Une immense ovation emplit la salle.

Oscar releva lentement la tête et lança à son vieil adversaire un regard de reconnaissance. Alors Thomas sauta par-dessus la caisse et s'avança vers lui.

« Si tu nous promets de te corriger, lui dit-il, je te nommerai sergent dans la garde civile. »

Et il lui tendit la main.

D'un bond, Oscar fut debout et s'empara de la main offerte.

« Je te le promets ! » répondit-il d'une voix forte.

Les enfants montèrent sur les bancs, applaudirent, tapèrent des pieds. Rarement, sentence de tribunal avait été mieux accueillie.

Soudain, la grande porte s'ouvrit. Albert, l'un de nos « espions », traversa la salle comme une flèche pour grimper sur une caisse en hurlant :

« Les parents arrivent ! Les parents arrivent ! »

Le vacarme cessa comme par enchantement. Et dans le silence subit, nous entendîmes les cloches de l'église qui commençaient à sonner.

« Tous sur le marché aux Chèvres ! » cria Thomas.

Dans un indescriptible tumulte, les enfants se ruèrent vers la porte.

22

Le retour des oiseaux

Le facteur Kruger m'avait également décrit le retour des parents dans la ville. Il l'avait fait quelques jours après m'avoir raconté leur fameuse expédition dans la forêt de Reckling et leur arrestation à la frontière. Mais jusqu'à présent, j'ai gardé son récit en réserve, estimant qu'il devait prendre place en tête de ce dernier chapitre.

« Ah ! ouiche ! commença-t-il en s'épongeant

le front. Nous étions tous dans un bel état d'agitation ! Si tu avais pu nous voir ! »

Il se trouvait de nouveau avec moi dans ma petite chambre mansardée, un peu essoufflé parce qu'il venait de terminer sa tournée. Il bourra longuement sa pipe, l'alluma avec soin, puis poursuivit :

« L'autre jour, je t'ai déjà décrit notre galopade à travers la forêt de Reckling. Quand nous sommes arrivés à la lisière, en vue de Timpelbach, nous étions morts de fatigue, et nous nous sommes laissés tomber dans l'herbe pour souffler. Peu à peu, les retardataires nous ont rattrapés, et nous sommes tous restés là encore un bon moment en regardant les toits de la ville au-dessous de nous, dans la vallée. Nous avions une telle peur, à l'idée de tout ce qui avait bien pu vous arriver, que nous ne nous décidions pas à faire un pas de plus. Les maisons étaient encore debout... ça nous rassurait tout de même un peu ! Mais ces rues complètement désertes ne nous disaient rien de bon. Tout à coup, lorsqu'on entendit les cloches de l'église et la sirène de l'usine électrique, nous avons cru rêver !

— Si l'usine marchait, c'était grâce à moi ! »
fis-je observer fièrement.

Le facteur hocha longuement la tête.

« Mais là où nous avons été le plus ahuris,
reprit-il, ce fut sur le marché aux Chèvres. Ah !
mes enfants ! vous aviez drôlement bien arrangé
cette réception ! Tout simplement formidable !
Nous en sommes restés "baba" !

— La réception solennelle, c'était une idée
de Thomas, expliquai-je. Nous en avions déjà
mis au point tous les détails, la veille au soir,
dans une réunion du Comité.

— Formidable ! répéta Kruger. Ça nous a
émus jusqu'aux larmes. D'ailleurs, il faut reconnaître que, par la façon dont vous vous êtes
débrouillés pendant notre absence, vous avez
largement racheté toutes vos polissonneries
passées.

— Et ce n'était pas facile ! répliquai-je, tout
heureux du compliment. Il nous a fallu travailler dur pour vous remplacer !

— Si vous n'aviez pas tant peiné, vous ne
nous auriez peut-être pas accueillis avec un tel
enthousiasme ! » fit remarquer Kruger en riant.

Soudain, il jeta un coup d'œil à sa montre.

« Je bavarde ! je bavarde ! s'exclama-t-il. Mais il est grand temps que je file ! »

Il reprit sa lourde sacoche, porta deux doigts à son képi pour me saluer, et il quitta ma chambre en traînant ses gros souliers.

Je restai assis devant la machine à écrire. Non, le brave facteur ne se trompait pas en disant que nos parents étaient restés « baba » devant la réception que nous leur avions préparée. Il y avait de quoi !

Lorsque les cloches se mirent à sonner et que nous nous précipitâmes hors du manège, chacun de nous savait déjà exactement ce qu'il aurait à faire. Tout ce qui devait servir aux festivités était prêt, dans une salle de l'hôtel de ville. Dix minutes plus tard, à peine, les enfants de Timpelbach étaient réunis sur le marché aux Chèvres, attendant avec une impatience folle l'apparition de leurs parents. Rosette, Charlotte et Paulette, revêtues de longues robes blanches, avaient les bras chargés de fleurs qu'elles devaient offrir aux premiers arrivants. Les plus jeunes enfants, tenant des guirlandes en papier, formaient un grand cercle tout autour de la place. La garde civile au complet s'était rangée sur la gauche de l'hôtel de ville ; sur la droite, les grandes filles, groupées autour d'Erna, s'apprêtaient à entonner un chœur de bienvenue. Nous avions même prévu un orchestre, composé de deux violons, trois harmonicas, un tambour et une trompette, mais il ne savait jouer convenablement qu'un seul air : « Le Retour des Oiseaux. » À mon avis, ce n'était pas exactement la mélodie qui convenait en la circonstance. Toutefois nos parents devaient s'en déclarer enchantés.

En travers du marché aux Chèvres, nous avions suspendu une immense banderole sur laquelle on lisait : « Bienvenue aux parents ! » Thomas, Marianne et moi, nous nous tenions sur le perron de l'hôtel de ville pour diriger la cérémonie.

Lorsque les parents apparurent dans la Grand-Rue, Thomas fit signe à l'orchestre qui se mit à jouer, le plus fort possible, « Le Retour des Oiseaux ». Puis les filles chantèrent en chœur. Après quoi, la garde civile poussa quelques hourras retentissants. Les parents, arrêtés au coin de la Grand-Rue, semblaient en proie à la plus profonde stupeur. Mais bientôt ce fut la ruée : ils se précipitèrent sur la place pour étreindre leurs enfants avec des cris de joie. Toute l'ordonnance de la fête fut bouleversée d'un seul coup. La garde civile rompit les rangs, les enfants jetèrent leurs guirlandes, moi-même j'abandonnai mon poste pour courir au-devant de mon père et de ma mère. Marianne, elle, salua ses parents en leur criant : « Ah ! vous voilà enfin ! Lâcheurs ! » puis elle sauta dans leurs bras. Sur le marché aux Chèvres régnait un tumulte joyeux, tel qu'on n'en avait encore jamais connu de mémoire d'homme.

Un peu plus tard, lorsque l'agitation commença à s'apaiser, les musiciens reprirent leurs instruments et, non sans témérité, s'apprêtèrent à nous régaler d'un autre morceau. Mais Thomas s'élança sur le rebord de la fontaine en agitant les bras.

« Silence ! cria-t-on de tous côtés. Silence ! Il va parler !... »

Et Thomas prononça alors le petit discours qu'il avait préparé la veille :

« Chers parents de Timpelbach ! dit-il. Nous sommes tous infiniment heureux de vous retrouver, soyez-en certains ! Mais ne croyez pas que nous songions à vous reprocher votre initiative : en effet, votre idée de nous laisser en plan n'était pas si stupide ! Elle nous aura permis de vous prouver que nous ne faisons pas seulement des bêtises, mais que nous sommes également capables de travailler dur et de nous débrouiller quand cela est nécessaire. Malgré votre absence, nous n'avons souffert ni de la faim ni de la soif ; nous avons rétabli l'eau et l'électricité ; nous avons également nettoyé les rues et les maisons... Mais nous sommes tout de même très contents que vous recommenciez à vous occuper de tout cela !

« Il ne faut plus nous en vouloir ; nous-mêmes, nous ne vous en voulons pas. J'espère qu'à l'avenir nous nous comprendrons mieux. C'est pourquoi je termine en criant :"Vivent les parents de Timpelbach !" »

Et tous les enfants répétèrent longuement ce cri.

Selon son habitude, Grincheux voulut lui aussi prononcer un petit discours, mais il n'y parvint pas, car les parents, rayonnant de joie, avaient déjà pris leurs enfants par la main et se dispersaient dans toutes les directions.

TABLE

Composition PCA - 44400 Rezé

Achevé d'imprimer en Italie par L.E.G.O. S.p.A.
32.10.2505.9/02- ISBN : 978-2-01-322505-2
Loi n° 49-956 du 16 juillet 1949 sur les publications destinées à la jeunesse
Dépôt légal : septembre 2008